26.70 ✓

D1413284

DEVENIR ENSEIGNANT
Tome 2
D'une expérience de survie
à la maîtrise d'une pratique professionnelle

DEVENIR ENSEIGNANT

Tome 2
D'une expérience de survie
à la maîtrise d'une pratique
professionnelle

Collectif sous la direction de

Patricia Holborn
Simon Fraser University
Marvin Wideen
Simon Fraser University
Ian Andrews
Vancouver Community College

Traduit de l'anglais par

Jacques Heynemand
Université de Montréal
Dolorès Gagnon
*Université du Québec
à Montréal*

Les Éditions
LOGIQUES

Collection «Formation des maîtres»
dirigée par
Jacques Heynemand

Les Éditions LOGIQUES
C.P. 10, succursale «D»
Montréal (Québec) H3K 3B9

Tél.: (514) 933-2225
FAX: (514) 933-2182

DEVENIR ENSEIGNANT
Tome 2: D'une expérience de survie
à la maîtrise d'une pratique professionnelle

© Les Éditions LOGIQUES inc., 1992
Dépôt légal: troisième trimestre 1992
Bibliothèque nationale du Québec
Bibliothèque nationale du Canada

ISBN : 2-89381-080-2

TABLE DES MATIÈRES

Avant-propos
de l'édition française

Jacques Heynemand
Dolorès Gagnon

Le Tome 2, *Devenir enseignant, d'une expérience de survie à la maîtrise d'une pratique professionnelle*, constitue une suite normale de ce qui a été exposé dans le Tome 1, dont le sous-titre disait bien ce dont il s'agissait: *la conquête de son identité professionnelle*. Le Tome 2 comprend les troisième et quatrième parties du volume. Il y est question, plus spécifiquement, de l'expérience des stages pour l'étudiant-maître et de la supervision des stages. À cet égard, les maîtres-hôtes et les maîtres-guides (experts), ainsi que les professeurs d'université engagés dans la supervision des stages, y trouveront des propositions intéressantes.

La troisième partie traite des stages d'enseignement en s'adressant plus particulièrement aux stagiaires. On y insiste sur l'importance de devenir un praticien réflexif, sur le rôle des superviseurs de stage et l'importance de l'évaluation. On sera frappé par l'insistance des auteurs à faire appel à l'activité personnelle de ceux qui se préparent à l'enseignement. Comme dans le Tome 1, cette préoccupation demeure ici constante. On insiste sur la croissance professionnelle sans négliger pour autant que celle-ci dépend du degré d'engagement personnel du futur enseignant.

Dans la quatrième partie, on passe aux préoccupations des formateurs de maîtres, sans perdre de vue pour autant l'importance d'éclairer les stagiaires et ceux qui se trouvent en formation initiale des maîtres. Ceux-ci verront leur formation sous l'angle de plus en plus accentué du stagiaire qui progresse dans ses stages et, enfin, celle qui confronte l'enseignant débutant lors de sa probation. On trouvera même un chapitre entier consacré à l'expérience de la première année d'enseignement à temps plein.

On ne manque pas de souligner la nécessité de la formation continue dans la profession enseignante. Là encore, on trouvera plusieurs suggestions susceptibles de faire avancer l'idée elle-même de formation des maîtres.

Les professeurs d'université reconnaîtront leurs préoccupations relatives à la formation pratique des enseignants. En particulier, ils verront, dans les exercices réflexifs qui sont suggérés, des pistes fort intéressantes pour la conduite des séminaires de stage. Ils apprécieront aussi les références bibliographiques.

Les deux tomes de *Devenir enseignant* présentent un bilan assez saisissant de la formation pratique des enseignants. Ce qui nous a encouragés à poursuivre ce long travail de traduction, c'est le projet d'ouvrir à un public francophone un travail qui nous a paru particulièrement adapté tant aux étudiants qu'aux responsables de leur formation.

Les étudiants-maîtres, les enseignants en stage probatoire et les professionnels de l'enseignement trouveront profit à lire ces pages, en s'appliquant à faire les *exercices réflexifs* qu'on y propose. Les uns et les autres découvriront que la pratique réflexive de l'enseignement devient une source de transformation intérieure où naissent les théories éprouvées de la pédagogie et de l'enseignement. Les exercices réflexifs contenus dans ces pages, orientés vers la recherche de solutions aux divers problèmes qui sont soulevés dans la pratique professionnelle de l'enseignement, auront l'heur de susciter l'avènement d'un style personnel et de l'identité professionnelle de chaque enseignant.

Mais d'autres personnes aussi trouveront profit à lire ces pages. Tous ceux qui essaient de répondre aux besoins des jeunes d'aujourd'hui en comptant sur l'éducation scolaire apprendront plusieurs secrets auprès d'enseignants experts. Ils s'en inspireront dans leur propre pratique éducative, et qui sait, pour réapprendre encore à s'éduquer eux-mêmes ou à mieux saisir qu'ils sont les artisans et les héros principaux de leur propre apprentissage.

Les deux tomes de *Devenir enseignant* représentent aussi une vue d'ensemble et un effort de clarification de ce que veut dire éduquer. On y entendra, ce qui est plus rare, comment des formateurs de maîtres s'expriment sur ce qu'ils expérimentent régulièrement avec des étudiants en formation.

Faire carrière en éducation apparaît ici sous l'angle du déroulement des étapes successives d'une croissance personnelle, sous-jacente à une croissance dans la pratique professionnelle. Celle-ci est à l'origine d'une transformation personnelle. Elle ressemble à une pièce en trois actes: le rideau s'ouvre sur l'acteur, ce professionnel de l'enseignement qui débute à l'université en formation initiale par la pratique de l'enseignement supervisé, puis poursuit sa formation dans un deuxième acte au cours de son stage probatoire, et l'acte final comprend l'ensemble de sa carrière qui se termine au moment où il prendra sa retraite. Pendant tout ce temps, on assiste à une longue et prometteuse transformation intérieure et extérieure de cet acteur qui cherche, au cours des trois étapes de son développement professionnel, à jouer son rôle avec l'entrain, la compétence et la ténacité qui caractérisent un véritable professionnel.

Nous tenons à remercier le personnel de la Faculté des sciences de l'éducation de l'Université de Montréal, et spécialement les responsables des stages et les étudiants, qui nous ont incités à présenter un bilan du développement professionnel de l'enseignant, dont ce volume constitue le premier d'une collection. Nous voulons aussi témoigner notre reconnaissance au Département des sciences de l'éducation de l'Université du Québec à Montréal, à son personnel et aux étudiants, qui nous ont stimulés, pour leur part et à leur façon, dans l'entreprise de cette traduction.

Nous voulons remercier vivement la maison d'édition Kagan and Woo, qui a bien voulu accepter que l'on traduise en français le volume *Becoming a Teacher.*

Les traducteurs,

JACQUES HEYNEMAND   **DOLORÈS GAGNON**

Faculté des sciences de l'éducation   Département des sciences de
Université de Montréal   l'éducation
          Université du Québec à Montréal

Juin 1992

Préface de l'édition anglaise

Devenir enseignant s'adresse à des étudiants en formation initiale des maîtres. Toutefois, à la différence de plusieurs ouvrages destinés à des étudiants-maîtres, celui-ci ne traite pas des techniques d'enseignement. On n'y cherche pas à renseigner les étudiants sur les théories les plus courantes en pédagogie, les recherches les plus récentes en éducation ou des stratégies efficaces d'enseignement. On insiste plutôt sur le rôle d'acteurs principaux qu'ils jouent dans le processus qui les conduit à devenir enseignants.

Quel est l'origine de ce livre? Un ensemble de conférences faites à un Congrès tenu en mars 1985 par la *Western Canadian Association for Student Teaching* (WESTCAST). Les membres de cette association sont des professeurs des sciences de l'éducation, des superviseurs de stages, des enseignants, des directeurs d'école, des administrateurs d'université et d'école, des étudiants-maîtres, enfin, tous ceux qui partagent un intérêt commun pour la qualité des programmes de formation des maîtres. Depuis plus de dix ans, ils se rencontrent annuellement; ils comparent alors les différentes méthodes de formation des maîtres et abordent des sujets d'intérêt commun relatifs à cette formation.

«Comment on devient enseignant: processus de développement de l'étudiant-maître»: tel fut le thème des rencontres organisées par la WESTCAST en 1985.

La plupart des chapitres de ce livre sont des textes adaptés de conférences présentées dans le cadre de ce Congrès de 1985. On y trouvera les points de vue des formateurs de maîtres qui travaillent directement avec des étudiants en formation initiale durant leur préparation professionnelle. Les auteurs nous parlent de leurs expériences pratiques de la formation des maîtres.

En raison de ses origines, soulignons le fait que ce livre, *Devenir enseignant*, constitue un ensemble d'idées que l'on a regroupées selon une thématique, plutôt qu'un traité exhaustif et systématique sur tel sujet en particulier. Nous avons tenu à présenter différents points de vue car nous croyons en l'importance de la diversité. Tout d'abord parce que, ce faisant, on reflète la nature de la formation pratique des maîtres telle qu'elle a cours actuellement au Canada; ensuite, parce qu'on offre ainsi aux étudiants-maîtres l'occasion d'examiner sous divers angles et de comparer entre eux différents aspects de leur développement professionnel. À plusieurs reprises, nous avons mis à contribution des auteurs qui n'ont pas participé au Congrès de 1985, mais dont les idées ont grandement enrichi certaines sections de cet écrit.

À la base de ce livre, une conviction fondamentale inspire les éditeurs: le développement professionnel est un processus continu et individuel qui commence au cours de la formation initiale des enseignants et se prolonge tout au long de leur carrière. C'est à ceci que l'on reconnaît des professionnels de l'enseignement chevronnés: non seulement se font-ils remarquer par leur engagement et l'efficacité de leurs habiletés dans l'enseignement, mais encore par la facilité avec laquelle ils savent se livrer à des analyses réflexives sur l'acte d'enseigner, à des prises de conscience critiques des divers sujets dont on traite en éducation et à leur propre auto-évaluation sur une base volontaire; ils travaillent facilement en équipe sans jamais perdre de vue l'importance de l'apprentissage autodidacte. Ces habiletés ne se rencontrent pas forcément chez tous les étudiants-maîtres, et ne se développent pas automatiquement en participant à des travaux universitaires et à des stages d'enseignement. Nous croyons qu'elles sont fondées sur des attitudes qui exigent une nourriture spécifique de l'esprit et une pratique bien encadrée à l'intérieur d'un programme de formation des maîtres. *Devenir enseignant* se propose de prendre partie en faveur de cet aspect de la formation des maîtres.

Ce livre constitue en lui-même une ressource mise à la portée des étudiants-maîtres pour faciliter la conduite de séminaires, en lien avec ce secteur de la formation de la préparation à l'enseignement que l'on appelle communément soit l'année professionnelle, soit les stages de préparation à l'enseignement, ou encore l'internat. Cependant, il peut être également d'une grande utilité dans d'autres situations où l'on se préoccupe de l'éducation des attitudes professionnelles et des processus de développement d'habiletés qui s'y rattachent. À notre connaissance, il s'agit du premier livre de ce genre destiné aux futurs enseignants engagés en formation initiale des maîtres. Nous croyons qu'il complétera de manière utile les textes qui traitent de la philosophie de l'éducation, de la recherche, du développement des programmes de formation des maîtres et des stratégies d'enseignement.

Devenir enseignant compte quatre parties; chacune traite d'une vaste question qui revêt une grande importance pour l'étudiant-maître engagé dans le processus de son développement professionnel. Dans l'introduction générale, on explique ce qu'on se propose dans ce livre en montrant en particulier que la réponse aux questions qui y sont abordées relève de la responsabilité de l'étudiant. On a fait précéder chacune des deux parties de ces deux tomes par une vue d'ensemble dans le but d'introduire la question traitée et de fournir un bref résumé des chapitres qui la composent. Les chapitres, quant à eux, présentent des éléments plus spécifiques reliés à l'expérience de l'étudiant-maître à titre d'enseignant en voie de développement. Chaque chapitre prévoit aussi des exercices réflexifs ou des questions que l'étudiant-maître doit explorer, soit individuellement, soit en groupe lors de séminaires supervisés.

Nous espérons que ce livre incitera les étudiants en formation initiale des maîtres et leurs professeurs à analyser avec soin le processus par lequel on devient enseignant. Notre but ultime est de développer des professionnels réfléchis, qui se voient eux-mêmes comme des personnes qui apprennent de manière active, responsables de tirer le meilleur profit de leurs expériences en éducation. Le Tome 1 met l'accent sur le praticien réflexif. Le Tome 2, tout en continuant dans la veine de la formation d'un praticien réflexif, montre comment, en devenant enseignant, on passe graduellement d'une expérience de survie en stage à la maîtrise de la pratique professionnelle de l'enseignement.

C'est grâce aux efforts conjugués de plusieurs personnes très engagées dans la formation des maîtres que *Devenir enseignant* a pu voir le jour. D'abord, nous tenons à souligner le travail et la patience des différents auteurs qui nous ont fidèlement encouragés tout au cours de la longue période de préparation du manuscrit. Sans leur contribution, ce livre n'aurait pas été publié. Ensuite, nous avons apprécié l'appui soutenu de la WESTCAST, qui nous a fourni son encouragement et son assistance financière lors de la préparation et de la promotion du manuscrit. Nous avons aussi une dette de reconnaissance envers la Faculté d'éducation de l'Université Simon Fraser, qui nous a offert gé-néreusement les ressources administratives et le support du secrétariat pour ce projet d'édition. En particulier, nous aimerions remercier le doyen Jaap Tuinman pour son support constant, Ivy Pye pour son travail d'édition, Eileen, Devi et Shirley pour leur effort soutenu au cours du traitement de textes, et Surjeet pour son travail effectué lors de l'élaboration du document fi-nal. Enfin, nous exprimons notre reconnaissance aux nombreux membres du corps professoral de l'Université, aux professeurs et aux étudiants-maîtres qui nous ont poussés à entreprendre la publication de ce livre.

TROISIÈME PARTIE

MA FAÇON DE RETIRER LE MAXIMUM DU STAGE D'ENSEIGNEMENT

Commencer vos stages d'enseignement peut créer chez vous une grande appréhension. Vous vous trouvez maintenant de l'autre côté du bureau. Vous devez planifier des activités d'apprentissage pour des groupes d'élèves. En même temps, vous subissez vos propres anxiétés en tant qu'enseignant débutant. Les chapitres de cette troisième partie de l'ouvrage vous offrent des suggestions pour faire face, non seulement aux défis pratiques de la planification et de l'enseignement, mais aussi à la confusion et aux frustrations personnelles que vous pourrez éprouver lors de votre passage d'étudiant-maître à enseignant.

Les deux premiers chapitres traitent de différents aspects de la planification. Le chapitre de Sylvia G. Leith, *Exploiter le concept de diagramme dans la planification d'un module d'enseignement*, fournit un moyen d'organiser le contenu de votre enseignement. Elle présente ce diagramme d'un concept comme une méthode qui permet de voir les relations entre les différentes notions qu'il faut enseigner lors de la planification d'un module d'enseignement.

Le chapitre suivant: *Planifier, structurer, réagir et questionner*, décrit les éléments essentiels de la préparation et de l'exécution du processus d'éducation. Comme Janet M. Johnston le souligne, les enseignants ne sont pas nés professionnels, mais le sont devenus en assimilant des connaissances de base et en les utilisant efficacement dans la pratique professionnelle.

Dans le chapitre suivant, on traite des réactions des étudiants-maîtres face à leur stage. Plusieurs psychologues ont proposé des modèles de développement qui décrivent le développement de la vie comme une séquence de stades. Le chapitre d'Alan E. Wheeler, *La croissance professionnelle vue à travers des manifestions d'inquiétude,* décrit les stades que traversent de nombreux étudiants-maîtres. Reconnaître ces stades vous aidera à mieux comprendre et à aborder avec plus d'assurance chaque période de votre propre développement au cours du stage.

Antoinette Oberg souligne l'importance de l'auto-évaluation dans son chapitre intitulé: *Rôle de l'auto-évaluation dans le développement professionnel.* Elle explique non seulement pourquoi l'auto-évaluation est une habileté nécessaire reliée au processus de satisfaction professionnelle, mais elle offre aussi des suggestions sur ce qui devrait être évalué, et comment doit s'effectuer une auto-évaluation.

Dans *Devenir un praticien réflexif,* Patricia Holborn réaffirme l'importance de l'analyse et de l'auto-évaluation comme moyen de retirer tous les profits souhaitables des situations de stage d'enseignement. Elle suggère toute une variété d'exercices pratiques susceptibles de développer vos qualités de réflexion grâce à l'usage d'un journal professionnel.

Finalement, le chapitre de Robert Bérard, *L'évaluation de l'étudiant en stage d'enseignement,* compare deux approches que favorisent fréquemment les centres de formation des maîtres. L'auteur fournit également des suggestions pour tirer le maximum de vos évaluations, peu importe l'approche que l'on préconise dans votre programme.

Chapitre 13

EXPLOITER LE CONCEPT DE DIAGRAMME DANS LA PLANIFICATION D'UN MODULE D'ENSEIGNEMENT

Sylvia G. Leith

SYLVIA G. LEITH *est professeure associée et directrice du Département des programmes à la Faculté des sciences de l'éducation de l'Université du Manitoba. Ses intérêts de recherche portent sur le développement des habiletés reliées au concept et aux processus et leur évaluation tant pour les enseignants que pour les élèves. Ses plus récentes publications comprennent des rapports sur la réussite en sciences des étudiants des écoles du Manitoba, une monographie (avec J. Smith): «The Development of the Three Component Approach to Teaching», et un chapitre d'un rapport national sur la science dans les écoles primaires canadiennes.*

Une des activités les plus exigeantes et les plus prenantes pour un enseignant du point de vue du temps est probablement l'organisation du matériel didactique. Bien qu'il existe de nombreuses techniques et stratégies pour accomplir cette tâche, je vous présente ici une méthode qui permet de transférer facilement les connaissances de l'enseignant à l'élève. Une des tâches les plus importantes auxquelles font face les él tudiants-maîtres au cours de leurs études en formation des maîtres est celle qui consiste à planifier une série de leçons qu'ils doivent dispenser au cours de leur stage d'enseignement. Ce n'est pas une tâche facile, tant pour un débutant que pour un enseignant expérimenté, que de planifier une nouvelle matière scolaire. Plusieurs questions viennent à l'esprit. Où vais-je pouvoir me procurer l'information sur cette matière? Comment vais-je m'y prendre pour assimiler certains aspects de cette matière que je ne comprends pas? Dans quel ordre vais-je sérier les idées principales? Quelles activités vais-je proposer pour enseigner ces notions? Qu'est-ce que je veux que mes élèves apprennent dans cette matière, ou quelles notions devraient-ils acquérir, ou bien quels liens pourront-ils établir entre ces notions à la suite de la présentation de la matière? On peut répondre à cette dernière question capitale en apprenant comment utiliser le diagramme d'un concept dans la planification d'un module d'enseignement. De plus, le diagramme peut servir de guide au cours de l'enseignement en aidant à assurer le suivi du contenu que l'on doit couvrir. Par la suite, après l'enseignement, le diagramme sert d'excellent point de référence à partir duquel on peut développer des questions d'évaluation. Sans aucun doute, le diagramme d'un concept peut aider les enseignants à organiser, enseigner et évaluer des modules d'enseignement.

NATURE DES CONCEPTS

Tout d'abord, qu'est-ce qu'un concept? Le dictionnaire définit le concept comme «une représentation mentale générale et abstraite d'un objet». Pour les besoins de la cause, étendons cette définition pour y inclure une régularité parmi des objets ou des événements qui créent un lieu de signification. Ainsi, le concept de *son* correspond à tout ce que nous avons entendu, lu, ou expérimenté du *son*. Le concept de *son* chez un adulte est beaucoup plus détaillé, englobant et varié que celui d'un nouveau-né qui n'entend que les sons de l'hôpital. Les êtres humains inventent des concepts qui, après l'enfance, sont exprimés sous forme de langage pour consolider la pensée et permettre de la communiquer. Nous créons des catégories conceptuelles en groupant des idées qui se ressemblent*; par exemple, l'idée de «chien» chez un enfant peut évoluer,

---

* N.d.T. Grouper des notions qui se ressemblent, c'est classifier. L'opération de classification constitue le terme d'un long développement de l'enfant.

depuis celle d'un seul chien – celui de la famille – à celle d'une race, fondée sur la reconnaissance de dix chiens différents qui vivent dans le voisinage.

Nous construisons des structures hiérarchiques de concepts dès que nous commençons à comprendre les relations entre eux. Nous apprenons (surtout si nous avons déjà joué au jeu «Animal, végétal ou minéral») que «animal» est un concept englobant les poissons, les insectes, les reptiles, les amphibies, les mammifères et les oiseaux. Il s'agit d'une structure hiérarchique acceptée dans notre culture; nous l'apprenons très tôt à l'école.

Les concepts peuvent être ou bien concrets – reliés à un être physique, par exemple, une table, de la glace, un arbre – ou abstraits, tels l'art, la paix ou la beauté. Généralement, les concepts les plus abstraits comme l'évolution, la vie, la personnalité et la santé apparaissent aux niveaux supérieurs des hiérarchies de concepts. Le concept d'énergie, par exemple, est le plus élevé de tous les concepts en science; il préside à toutes les relations scientifiques.

LE DIAGRAMME D'UN CONCEPT

À quelle réalité correspond le diagramme d'un concept? Le diagramme réfère à un schéma organique qui cherche à représenter la structure conceptuelle d'un ou de plusieurs modules de connaissance dans une discipline donnée. Traditionnellement, la connaissance était représentée de façon séquentielle comme dans un livre, sous forme de listes écrites sur un tableau noir ou sur un écran à l'aide de rétroprojecteurs et d'acétates*. Au contraire, le diagramme constitue un schéma bidimensionnel qui met en évidence, non seulement les concepts eux-mêmes, mais aussi les relations qu'ils entretiennent entre eux. Les relations sont représentées par des mots inscrits sur les

---

* N.d.T. Une table des matières, par exemple, est une liste unidimensionnelle, dans laquelle on ne montre pas les liens organiques qui relient entre eux les idées ou les sujets développés.

Figure 13.1
Premier croquis du diagramme d'un concept

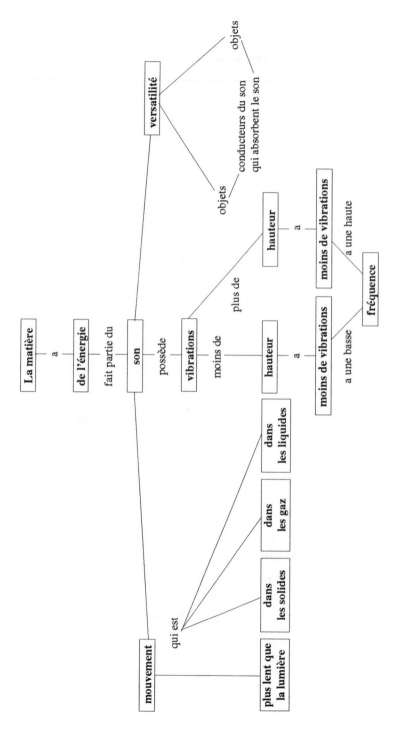

Figure 13.2
Diagramme révisé d'un concept

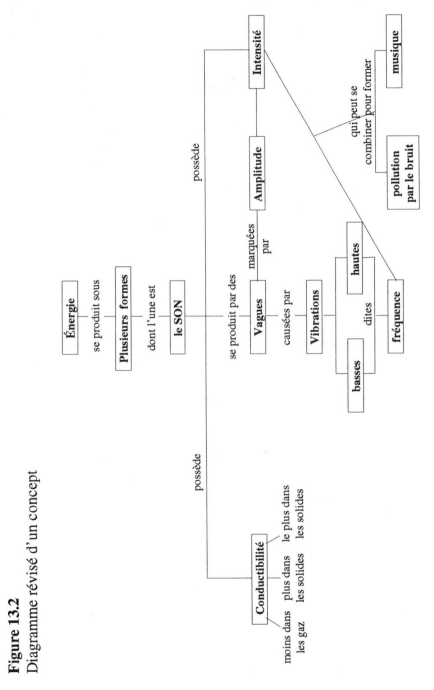

traits qui relient les lignes entre elles. Le diagramme de la Figure 13-1 est le fruit d'un travail effectué par une étudiante de quatrième année en sciences de l'éducation dans le cadre d'un exercice de planification relatif à l'enseignement d'une matière scolaire à une classe de quatrième année du primaire. Elle utilisa une approche plutôt exceptionnelle de la matière. Vous ne serez peut-être pas d'accord avec la façon dont elle a établi les relations entre les concepts ou avec certaines de ses idées, mais cette première version l'a aidée à se former une image initiale plus précise de la matière qu'elle espérait présenter à ses élèves. La Figure 13-2 est une version révisée de ses idées, présentées de façon plus juste.

Nous présentons ici quelques études sur l'apprentissage des concepts et la préparation de diagrammes pour montrer la valeur des développements dans ce domaine. La théorie de l'apprentissage d'Ausubel suggère que les humains pensent en concepts et les organisent de façon hiérarchique[1]. Dans le prolongement de cette idée, Novak développa par la suite le diagramme d'un concept en décrivant les relations entre les concepts et les propositions qui les accompagnent à l'intérieur d'un cadre théorique[2]. Il appliqua ensuite cette théorie à des programmes de recherche touchant des enfants du primaire et du secondaire. Pour les enfants du primaire, les enseignants – à la suite d'entrevues avec les élèves – utilisaient le diagramme d'un concept comme outil d'évaluation pour mesurer les progrès de la compréhension des matières qui avaient été étudiées. Novak enseigna à des enfants plus âgés comment préparer eux-mêmes des diagrammes pour les aider à comprendre une matière. Il les incita à utiliser ces diagrammes par la suite pour mesurer leurs propres changements dans la compréhension de la matière[3].

D'autres éducateurs en sciences ont appliqué le concept de diagramme à divers aspects de l'éducation. Stewart, Van Kirk et Rowell ont utilisé des diagrammes pour clarifier des notions de biologie[4]. Pines et Leith ont fait des suggestions pour améliorer l'apprentissage des concepts en sciences, l'une d'elles étant le diagramme d'un concept[5]. Plusieurs professeurs de la

Faculté des sciences de l'éducation de l'Université du Manitoba utilisent régulièrement le diagramme d'un concept avec leurs étudiants de 1er et 2e cycles afin de les aider à comprendre et à planifier des sujets d'enseignement.

Au cours d'une étude récente effectuée dans le cadre de travaux pratiques d'une durée de deux heures, j'ai enseigné à un groupe d'étudiants en formation des maîtres au primaire comment se développe le diagramme d'un concept. Je leur ai ensuite confié la tâche de préparer un diagramme du module qu'ils prévoyaient enseigner au cours de leur stage. Un instructeur critiqua ensuite ces diagrammes et, si nécessaire, proposa de les modifier. Dans ce groupe d'environ 100 étudiants-maîtres, un échantillon de 14 étudiants pris au hasard fut choisi, et on leur présenta un questionnaire suivi d'une interview. Leurs réponses indiquent clairement leur intérêt et leur enthousiasme pour cette approche. Voici la liste de leurs réponses à la question: «Est-ce que la technique du diagramme vous a aidé à clarifier votre compréhension du contenu de ce module d'enseignement des sciences? Si oui, comment? Si non, pourquoi?» Les 14 étudiants ont répondu «oui» à la première question. Voici quelques-uns de leurs commentaires sur cette approche :

- Elle fournit un cadre pour mon module d'enseignement.
- Elle m'aide à mettre en évidence les différents concepts.
- Elle fournit une façon d'organiser un module, elle donne un point de départ. Vous savez où vous allez. Elle vous aide à vous sentir confiant.
- Elle m'aida à saisir les éléments majeurs de mon module et à élaborer mes plans de leçons.
- Le diagramme d'un concept fournit un schéma organisé du module que j'enseignerais. Il permet d'identifier facilement des concepts clés et le vocabulaire que je veux enseigner aux élèves.

Lorsqu'on leur a demandé: «Avez-vous été capable d'utiliser votre diagramme pour planifier de manière détaillée l'enseignement d'un module?» sept ont répondu oui, et cinq, non. Certains ont dit que le diagramme les avait aidés à se concentrer sur les concepts importants. Aucun étudiant n'a dit que c'était facile à faire; mais une fois cette technique apprise, elle devenait une stratégie très valable.

APPRENDRE À FAIRE DES DIAGRAMMES

Les étapes que présente l'exercice 13.1 indiquent comment vous pouvez planifier un module d'enseignement en utilisant la stratégie du diagramme. Vous devriez pouvoir appliquer cette approche de planification durant des séances de travaux pratiques et éventuellement au cours de votre stage.

EXERCICE 13.1

1. Dans le paragraphe qui suit, sélectionnez ce que vous considérez comme deux concepts abstraits plutôt généraux et deux autres, très spécifiques. Soulignez-les.

   Tout ce qui est vivant a besoin d'énergie. Les plantes et les animaux utilisent de l'énergie pour leurs activités vitales. Certaines activités vitales communes aux plantes et aux animaux sont la croissance, la reproduction, la respiration et le transport de matériels. Seules les plantes vertes produisent de la nourriture. Les animaux ne peuvent produire leur propre nourriture; ils ont donc besoin de se mouvoir pour trouver leur nourriture.

2. Sur une feuille de papier, écrivez chacun de ces quatre concepts dans un rectangle distinct, en plaçant les concepts plus généraux et abstraits en haut de la page et les plus spécifiques vers le bas. Séparez les concepts de façon à ce que vous puissiez tracer des lignes de relations et écrire entre les lignes. Vous voudrez peut-être assigner à certains concepts un même rang en les plaçant sur un plan horizontal.

3. Dessinez les lignes de relations entre les rectangles et écrivez ce qui relie les concepts entre eux. Cette étape est cruciale et peut comprendre le réarrangement des concepts. Les relations sont habituellement exprimées par des verbes, et lues de haut en bas, pour exprimer leur structure hiérarchique. Essayez de faire le plus de liens possible, mais ne croisez pas les lignes de relations déjà établies.

4. Comparez votre diagramme avec celui d'un partenaire et discutez de ce qui les distingue. Assurez-vous que les concepts les plus abstraits, les plus généraux et les plus importants sont bien au sommet, et que les concepts plus concrets et imagés soient au bas de la feuille.

5. Maintenant, retournez au paragraphe de la première étape, soulignez quatre autres concepts, et répétez les étapes 2 et 3.

À ce stade-ci, si vous travaillez en groupe avec d'autres étudiants-maîtres, il est utile de procéder à une discussion générale. Le responsable du séminaire ou des travaux pratiques peut vouloir que les étudiants-maîtres proposent leurs diagrammes à toute la classe; il peut décider de soumettre à la critique du groupe-classe un diagramme choisi parmi d'autres. La Figure 13-3 donne un exemple de diagramme complété après discussion.

Pour apprendre à se servir du diagramme d'un concept, la prochaine étape consiste à travailler un module d'enseignement en groupes de trois ou quatre étudiants à partir de guides pédagogiques, de programmes-cadres ou de manuels scolaires. Chaque groupe travaille sur le même module, et avant la fin de l'heure consacrée à cette activité, le groupe a achevé le schéma de sa propre version sur une grande feuille que l'on colle au mur pour que tous la voient. Il devrait se produire beaucoup d'interactions entre les étudiants à ce stade-ci. Le responsable du groupe joue alors un rôle d'observateur, tout en incitant les groupes à justifier leurs décisions. En règle générale, un compromis ou un consensus se dégage dans le groupe sur le choix du meilleur diagramme.

L'étape finale de cet exercice consiste en ce que chaque étudiant-maître devrait choisir quel module il enseignera lors de son prochain stage et prépare le diagramme de ce module d'enseignement. Cette tâche se fait individuellement; le diagramme est remis au responsable aux fins de recevoir des commentaires et des suggestions.

La valeur du diagramme d'un concept vient de ce qu'il vous fournit des outils pour planifier, enseigner et évaluer. En construisant un diagramme conceptuel tel celui que montre la Figure 13-3, vous avez déjà effectué une bonne partie de la planification de votre module d'enseignement. Vous vous êtes également donné à vous-même une vue d'ensemble de la façon dont les concepts se relient entre eux; vous pouvez maintenant utiliser cette information pour planifier des leçons spécifiques. Par exemple, vous aimeriez peut-être commencer votre module

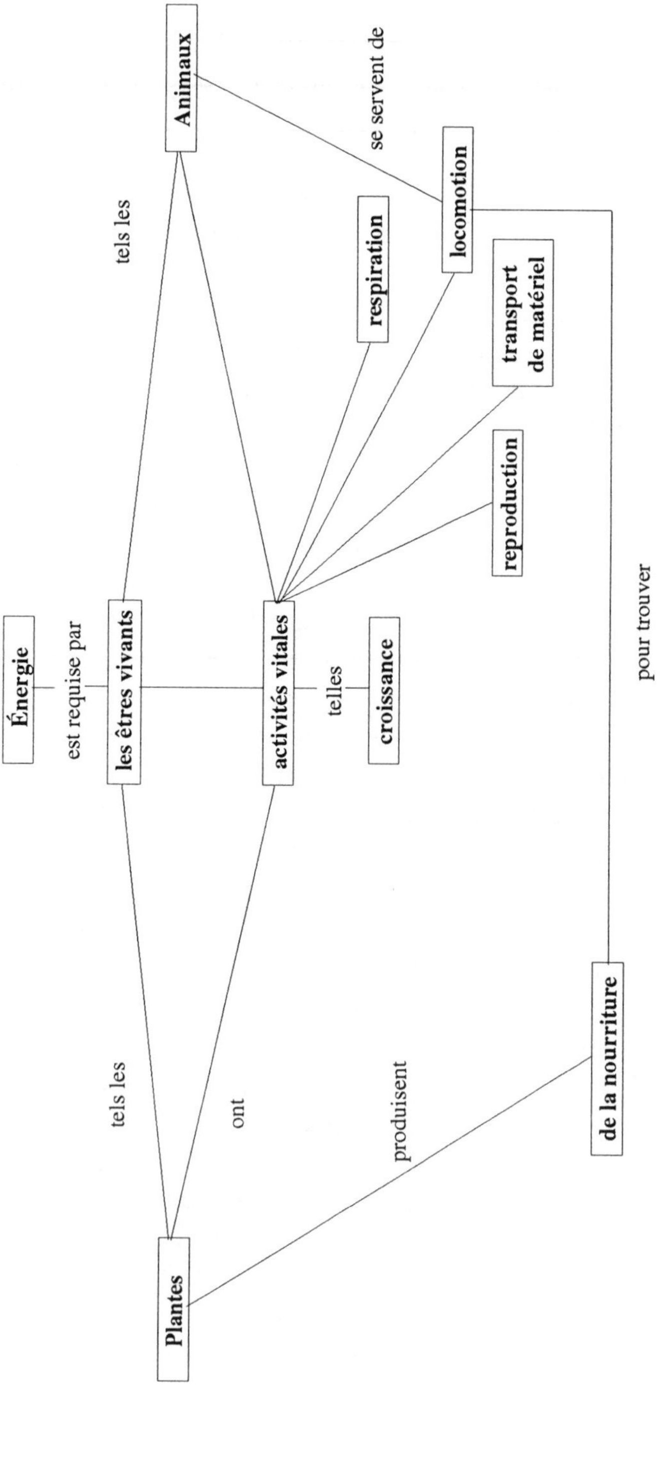

Figure 13.3
Échantillon du diagramme d'un concept

par une leçon qui fournit aux élèves un survol des différents aspects des «activités vitales» en puisant dans les concepts que vous auriez schématisés sur votre diagramme. Votre prochaine leçon pourrait traiter des «objets vivants» et comment on les classe en deux grandes catégories, les «animaux» et les «plantes». Les leçons subséquentes pourraient traiter des autres concepts contenus dans votre diagramme ou des relations qui existent entre eux.

Alors que vous enseignez chaque leçon, le diagramme a aussi un rôle à jouer. On peut l'utiliser pour relier chaque classe de concepts à une classe plus large. Par exemple, si vous enseignez une leçon sur la «reproduction», vous pourriez commencer avec une introduction du type suivant: «Vous vous souviendrez que lorsque nous avons parlé des activités vitales, j'ai souligné que la reproduction est importante pour la survie des plantes et des animaux»; ou bien: «Comment la reproduction est-elle importante pour les choses vivantes?»

CONCLUSION

Le diagramme est une méthode très utile pour aider les étudiants-maîtres à relier la théorie et la pratique. Ce concept fournit une base de connaissance plus solide ordonnée à l'enseignement. Il aide les futurs enseignants à faire preuve de leurs connaissances d'une matière scolaire en identifiant les concepts majeurs, en les arrangeant de façon hiérarchique qui va du général au particulier, et en décrivant les relations qui les unissent entre eux. Les étudiants-maîtres ont confirmé la valeur de ce procédé dans leurs tâches de planification et d'enseignement. Ils ont, par exemple, utilisé des guides pédagogiques de même que des livres-ressources pour s'aider eux-mêmes à identifier les concepts relatifs à un sujet d'enseignement, ce qui leur a permis d'élaborer des diagrammes d'un module qu'ils espèrent enseigner. De plus, le diagramme agit comme support, même après avoir terminé la planification détaillée de chaque leçon du module en question. Les régions du diagramme représentent des

31

sections qui doivent être enseignées en une série de leçons que l'on peut cocher au fur et à mesure qu'elles sont couvertes. Finalement, le diagramme devrait servir de guide dans l'évaluation cumulative de chaque module enseigné. Par exemple, il fournit une vue d'ensemble des points importants qu'il faut réviser et évaluer. Comme on l'a suggéré plus tôt, on peut même demander aux élèves de créer leurs propres diagrammes pour montrer ce qu'ils ont appris.

Bien que le diagramme d'un concept ne représente qu'une des nombreuses stratégies dont dispose un enseignant, il est apparu comme un excellent outil de clarification des concepts et un moyen puissant d'organisation de la matière à enseigner. Ce procédé constituera un ajout fort important au répertoire des enseignants qui cherchent toujours des façons d'améliorer leur planification.

Notes

1. Ausubel, D. P., Novak, J. D., & Hanesian, H. (1978). *Educational psychology: A cognitive view* (2nd ed.). New York: Holt Rinehart and Winston.
2. Novak, J. D. (1981). Effective science instruction: The achievement of shared meaning. *The Australian Science Teachers Journal, 27*, 1, pp. 5-13.
3. Novak, J., *et al.* (1983). The use of concept mapping and knowledge mapping with junior high science students. *Science Education, 67*, 5, pp. 625-645.
4. Stewart, J., Van Kirk, J., & Rowell, R. (1979). Concept maps: A tool for use in biology teaching. *The American Biology Teacher, 40*, 3, pp. 171-175.
5. Pines, A. L., & Leith, S. (1981). What is concept learning in science? Theory, recent research and some teaching suggestions. *The Australian Teachers Journal, 27*, 3, pp. 15-20.

Chapitre 14

PLANIFIER, STRUCTURER, RÉAGIR ET QUESTIONNER

Janet M.Johnston

JANET M. JOHNSTON *est coordonnatrice des expériences sur le chantier au Collège d'éducation de l'Université de Saskatchewan. Elle a récemment développé un «modèle de formation continue» pour les internes et les superviseurs. Ses publications relatives à la formation des maîtres comprennent:* The Internship, *«Clinical supervision: An assessment after 20 years» dans* The Canadian School Executive *(Juin, 1983); «The characteristics and skills of the effective supervisor» dans* The Saskatchewan Educational Administrator *(Été, 1983); et (avec d'autres)* School Based Teacher Educators: Rationale, Role Description and Research.

Une personne qui posséderait une intelligence moyenne, une personnalité extravertie et le désir de devenir enseignant pourrait apprendre grâce à l'expérience à survivre dans une classe. Cependant, un bon enseignement va bien au-delà de la survie; aussi, il faut de toute nécessité que les étudiants-maîtres apprennent et pratiquent certaines habiletés efficaces. On ne naît pas enseignant non plus qu'avocat ou médecin. On ne devient un professionnel qu'en s'adonnant à des études de base et en s'exerçant à mettre en pratique ses connaissances fondamentales dans la pratique professionnelle. Ce chapitre touche quatre aspects des connaissances de base relatives à la profession enseignante: savoir planifier, structurer, réagir et questionner. Bien que ces quatre aspects du comportement de l'enseignant ne constituent pas la somme de tous les éléments d'un enseignement efficace, on a déjà démontré qu'ils contribuent grandement au succès en classe.

SAVOIR PLANIFIER

La croyance populaire relative à l'enseignement reflète souvent le mythe que la planification n'est pas importante. Par exemple, vous pourrez entendre un enseignant expérimenté s'exclamer: «Je n'écris pas tout ça quand je me prépare à enseigner quelque chose.» Même qu'on vous demandera peut-être: «Est-ce qu'on vous fait encore écrire des plans de cours ridicules à l'université?» Le mythe, bien sûr, c'est que «les enseignants expérimentés ne planifient pas». Un autre mythe veut que si vous préparez un plan de cours, vous perdez la flexibilité requise pour un enseignement harmonieux, et cette perte vous enlèverait votre plaisir d'enseigner.

Le résultat des recherches met un terme à ces mythes. Zahorik, s'attaque très bien à l'un de ces mythes lorsqu'il note que les enseignants qui se font des plans étroits et limités ont tendance à avoir des classes où les élèves s'engagent dans une pensée convergente plutôt que divergente. Le fait que Zahorik fait ressortir est que, au fur et à mesure qu'augmente la planification, la flexibilité de l'enseignant grandit, elle aussi. Dans les classes où les enseignants sont mieux préparés, on note chez les élèves beaucoup plus de réflexions divergentes.

Bon nombre de chercheurs ont découvert que la planification semble constituer l'une des bases d'un enseignement efficace[2]. De nombreuses observations font état du fait que les enseignants expérimentés planifiaient entre une heure et demie et trois heures par jour, mais qu'ils n'écrivaient pas nécessairement des plans formels. Autre fait intéressant, ces enseignants experts croient que l'enseignant débutant devrait préparer des plans formels. En tant que nouvel enseignant, vous retirerez de grands bénéfices en vous appliquant à rédiger un plan avant une leçon, et si, après la leçon, vous prenez le temps de réfléchir sur la planification et ce qui en a résulté.

Nous étudions ici le plan de la leçon quotidienne. Avant de commencer cette discussion, il convient de rappeler quelques points généraux de la planification d'un module d'enseignement ainsi que d'un programme. Le programme-cadre représente le plan d'une année scolaire et est habituellement imposé par une autorité extérieure, mais les enseignants sont obligés d'adapter ce programme aux besoins spécifiques de leurs élèves. En tant qu'étudiants-maîtres, vous participerez probablement à la planification de modules et à la planification quotidienne des leçons. Un plan de leçon quotidienne est rarement une entité qui se tient en soi: normalement, il fait partie d'un plan beaucoup plus large ou du plan du module qui se compose de plusieurs leçons d'un domaine spécifique du programme.

Le plan d'un module d'enseignement devrait représenter une partie du programme qui se concentre sur un ensemble de concepts ou de processus, ou une partie qui peut être enseignée plus efficacement comme un «ensemble» distinct du reste du programme. Cet ensemble contiendra des processus ou des contenus interreliés à l'intérieur desquels se trouve un certain nombre de concepts moins étendus. On identifie souvent le processus d'identification des concepts à l'intérieur d'un module comme celui qui correspond au concept de diagramme. Comme le chapitre précédent le mentionnait en détail, la technique du diagramme comporte aussi l'organisation et la sériation des contenus à enseigner.

Le processus d'identification des concepts d'un domaine particulier est essentiel à la planification d'une leçon. Lorsque vous conceptualisez entièrement un secteur du programme qu'il vous faut enseigner, vous déterminez en partie le contenu de chaque leçon et aussi comment chaque leçon va se relier aux autres leçons de ce secteur spécifique du programme. Un plan de cours représente votre stratégie pour enseigner une partie d'une unité de travail qui, à son tour, représente une portion du programme total d'un sujet donné. Que vous prépariez une seule leçon, un module d'enseignement, ou tout le programme de l'année scolaire, vous vous engagerez dans le même processus de planification et de pensée réflexive.

Supposons qu'on vous a demandé d'enseigner une leçon sur les «verbes passifs et actifs» à une classe de sixième année.

Votre maître-hôte vous a fourni l'information sur ce que la classe a fait jusqu'ici et vous réalisez que, bien que les élèves sachent ce qu'est un verbe, ils ne sont pas familiarisés avec les deux types de verbes dont il s'agit dans la leçon et pensent que tous les verbes sont des «mots d'action». À ce stade-ci, vous devriez vous poser trois questions fondamentales: «Que vais-je faire? Comment vais-je le faire? Comment vais-je savoir que je l'ai fait?» Les réponses à ces questions baliseront vos objectifs (Que vais-je faire?), votre méthode ou procédé (Comment vais-je le faire?), et vos moyens d'évaluation (Comment vais-je savoir que je l'ai fait?). Lorsque vous aurez répondu à ces trois questions, vous aurez pensé à une leçon vue dans son ensemble. En rédigeant votre plan de leçon, ces éléments devraient s'y trouver.

Objectifs (Que vais-je faire?)

Il existe de nombreux avantages au fait d'énoncer des objectifs[3]. Les enseignants qui n'identifient pas leurs objectifs ont tendance à suivre un texte page par page, et leurs élèves caractérisent une grande partie de ce qui se passe en classe par l'étiquette: un lieu de travail intensif. De plus, lorsque l'enseignant n'a pas identifié ses objectifs, son enseignement risque d'errer sans but et ses élèves peuvent facilement l'entraîner dans des sujets qui sont hors d'ordre. Poursuivre des objectifs produit des effets d'orientation et de planification qui diminuent l'incertitude et augmente l'apprentissage. Les objectifs guident la planification et l'évaluation.

Si nous croyons aux objectifs généraux de l'éducation, tel développer dans la société des citoyens compétents et responsables, nos objectifs devraient reconnaître les domaines cognitifs, affectifs et psycho-moteurs de l'apprentissage. C'est-à-dire que nous devrions planifier des expériences d'apprentissage qui favorisent non seulement le développement intellectuel mais aussi la croissance émotionnelle, sociale, morale, physique, esthétique et artistique. On peut préparer des expériences d'apprentissage dans le but d'atteindre des objectifs qui affectent simultanément un certain nombre de domaines.

Une des erreurs les plus communes consiste à écrire des activités plutôt que des objectifs. Les activités indiquent «comment» et «ce que l'étudiant fait» pour apprendre, alors que les objectifs identifient *ce* que l'élève doit apprendre. Considérez attentivement ces deux énoncés:

Les élèves répondront aux questions 4 et 5 de la page 91.

Les élèves apprendront à comparer l'aire et le périmètre en répondant aux questions 4 et 5 de la page 91.

Vous vous rendez compte que le deuxième énoncé propose un objectif alors que le premier est simplement l'énoncé d'une activité.

Mises en situation

Dans toute la littérature sur le sujet, on nous dit que les enseignants efficaces font appel à des mises en situation dans leurs classes. Aubertine définit la mise en situation de cette façon:

... l'enseignant, au point de départ d'une leçon, fournit à ses élèves un cadre de référence dans le but délibéré de provoquer chez eux une réaction qui les pousse à relier leur champ d'expérience aux objectifs de comportement attendus dans l'expérience d'apprentissage[4].

En d'autres termes, lorsqu'un enseignant commence une leçon, il crée délibérément des liens entre la matière enseignée et les expériences d'apprentissage préalablement vécues par les élèves, afin de leur fournir un cadre de référence qui prépare leur nouvel apprentissage.

Méthodes et procédés (Comment vais-je le faire?)

Il existe habituellement plusieurs façons d'atteindre des objectifs, et vous devez continuellement vous référer aux bases de vos connaissances en éducation pour choisir ce qu'il y a de mieux pour vos élèves. Par exemple, si vos élèves se trouvent au stade de la pensée concrète, alors une expérience de manipulation du matériel produira de meilleurs résultats que le fait de prendre des notes. On réussit mieux à faire comprendre un concept à des élèves plus lents lorsqu'on utilise une approche directe, alors qu'une approche fondée sur la recherche pourrait être plus efficace pour des élèves plus brillants. Dès que vous avez identifié une méthode et les différentes étapes requises du procédé, vous devez choisir les activités qui conduiront le mieux à l'apprentissage. Ici, vous devez considérer le degré de difficulté des activités, sans oublier que les élèves apprennent mieux lorsqu'ils ont plus de 50 % de chances de réussir leurs travaux en classe[5].

De plus, vous devrez considérer la sériation appropriée des activités, puisque sauter une étape peut être désastreux pour l'apprentissage. Bref, sérier consiste à disposer les activités dans un ordre logique tel que l'apprentissage de l'une prépare la suivante. Vous devez surveiller constamment le comportement des élèves pour chercher à savoir s'il s'est glissé une erreur dans la sériation de vos activités d'enseignement. L'enseignant expérimenté peut détecter rapidement une erreur dans la sériation de ses activités en observant le travail des élèves ou en écoutant les réponses qu'ils donnent à ses questions.

Les questions clés

Personne n'écrit toutes les questions qu'il a l'intention de poser au cours d'une leçon; les aspects humains de l'enseignement ne permettent pas un tel exercice. Cependant, les questions clés qu'il faut poser devraient être inscrites dans votre plan de cours. Celles-ci incluent des questions qui se proposent de guider la réflexion de l'élève dans l'atteinte des objectifs, et des questions qui visent à évaluer l'apprentissage de l'élève. Au cours d'une étude expérimentale, j'ai découvert qu'il existe une très forte corrélation entre l'étendue de la planification et l'efficacité du questionnement. Les étudiants-maîtres qui simplifient à outrance le caractère explicite de leur plan de cours voient l'efficacité de leur questionnement diminuer de manière dramatique[6].

Lors de la préparation des vos questions, demandez-vous: «À quoi devrait penser l'élève s'il veut réussir l'apprentissage envisagé? Quel aspect de sa connaissance et de sa pensée je veux stimuler par ma question?» Il n'est pas facile de répondre à cela. Une fois que vos questions majeures sont en place, vérifiez le niveau de pensée qu'elles requièrent pour voir s'il rencontre vos objectifs. Considérez l'exemple suivant. Un enseignant fait une démonstration en utilisant deux gobelets partiellement remplis d'un liquide transparent afin d'enseigner le concept de tension de surface. L'enseignant place une aiguille à la surface de chaque gobelet. L'aiguille coule au fond du premier gobelet mais flotte à la surface du second. Des questions clés pour cette leçon pourraient bien être:

- Qu'est-il arrivé à chaque aiguille dans chacun des deux gobelets?
- Pourquoi une aiguille est-elle tombée au fond du gobelet dans un cas, alors que, dans l'autre, elle flotte en surface?
- En quoi les deux surfaces sont-elles différentes?

Chaque question rapproche l'élève de l'atteinte de l'objectif: comprendre la tension de surface. Vous noterez que la question initiale nécessite l'observation, alors que les autres questions exigent un niveau de pensée plus élevé.

À partir du même exemple, pensez aux questions que vous pourriez poser pour déterminer le degré de compréhension du concept enseigné. Dans le cas de cette leçon, vous voudriez poser des questions évaluatives à chaque étape de l'apprentissage du concept afin de vous assurer que les élèves construisent la base de connaissance nécessaire à la compréhension de la prochaine étape. À la fin de la leçon vous pourriez poser des questions suivantes:

- Comment pourrais-je déterminer la différence entre la tension en surface des liquides présents dans les gobelets? (Un gobelet contient une solution terreuse et l'autre, une solution rouge.)
- Que veut-on dire par «tension de surface?»

Révision et résumé

La révision et le résumé ont la même fonction fondamentale dans le processus enseignement-apprentissage. Leur but est d'augmenter le degré de mémorisation du contenu de la leçon. Pour réviser, l'enseignant prend quelques instants au début de la leçon pour souligner les points importants du contenu de la lecon précédente. L'enseignant peut alors résumer sa leçon, en cours de route ou à la fin de celle-ci, en attirant l'attention des élèves sur les points majeurs qu'il vient de présenter.

Le résumé peut être centré sur l'enseignant ou sur l'élève. S'il est centré sur l'enseignant, celui-ci verbalise les points importants de la leçon. Sil est centré sur l'élève, on demande aux élèves de verbaliser les points importants. Un résumé centré sur l'élève peut aussi servir d'évaluation de l'apprentissage de l'élève.

Évaluation (Comment vais-je savoir que je l'ai fait?)

Cet aspect de la planification est important pour plusieurs raisons. D'abord, une évaluation de l'apprentissage de l'élève vous aide, vous, enseignant, à vous assurer que les objectifs de la leçon ont été atteints. Ensuite, l'évaluation aide les élèves à réaliser ce qu'ils ont appris et à savoir ce sur quoi ils doivent concentrer leurs efforts. Enfin, l'évaluation fournit de l'information sur le degré de compréhension, d'habileté, d'intérêt et de participation des élèves dans le sujet traité pour guider par la suite la planification des leçons.

Un plan de cours devrait spécifier comment l'enseignant obtiendra cette information évaluative. Les stratégies d'évaluation peuvent être centrées sur l'élève ou l'enseignant, et varient dans leur degré de formalité. Par exemple, une évaluation informelle peut être effectuée à partir de vos observations des comportements des élèves, à travers des discussions avec des élèves pris individuellement au cours de leurs travaux, ou à travers des révisions et des résumés faits par les élèves. Une évaluation plus formelle peut prendre la forme d'une épreuve de type vrai ou faux, de tests ou de devoirs majeurs pour lesquels on aura pris soin d'établir des critères de réussite.

Le choix d'une stratégie d'évaluation dépend des objectifs de la leçon. Par exemple, si l'objectif est que «les élèves apprendront à comparer l'aire et le périmètre en répondant aux questions 4 et 5 de la page 91», alors l'enseignant peut facilement évaluer l'apprentissage en observant la performance des élèves à ces questions. Dans ce cas, l'enseignant voudra probablement observer non seulement si les élèves sont capables de compléter les questions correctement, mais aussi de discuter ce travail sur une base individuelle, afin d'encourager l'auto-évaluation. Ces stratégies devraient être spécifiées dans le plan de cours, de sorte que l'enseignant puisse s'y référer pendant la leçon.

EXERCICE 14.1

Choisissez un plan de cours que vous avez préparé pour un de vos cours ou pour la préparation de votre stage. Analysez ce plan de cours à l'aide des questions suivantes:

1. Les objectifs sont-ils clairement énoncés? Indiquent-ils ce que les élèves vont *apprendre*, plutôt que ce que les élèves vont *faire* au cours de la leçon?
2. Avez-vous spécifié comment vous allez capter l'intérêt des élèves et de quelle façon vous allez faire le lien entre la leçon et leur expérience?
3. Avez-vous souligné les activités qui prendront place au cours de la leçon dans un ordre logique? Le plan spécifie-t-il non seulement ce que les élèves vont faire mais aussi ce que vous ferez au cours de la leçon? Les activités sont-elles pertinentes aux habiletés des élèves? Sont-elles stimulantes et en valent-elles la peine?
4. Avez-vous fait la liste des questions clés que vous poserez? Quels niveaux de questions sont inclus dans le plan? Ces questions vont-elles stimuler la pensée de l'élève? Mèneront-elles à l'atteinte des objectifs que vous avez énoncés?

5. Comment planifiez-vous la fin de la leçon?
6. Comment saurez-vous ce que les élèves ont appris? Comment les élèves sauront-ils ce qu'ils ont appris? A-t-on spécifié comment se fera l'évaluation?

L'ENSEIGNANT QUI STRUCTURE

L'enseignant structure en élaborant son plan de cours. Une structuration efficace dépend d'une planification efficace. Zahorik et Brubaker[7] définissent les comportements relatifs à la structuration comme «ces actes qui fixent la situation dans laquelle l'enseignement et l'apprentissage se feront». Clark et ses collègues définissent ce que veut dire structurer: «c'est dire aux élèves ce qui se passera par après, ce qu'ils devront travailler, discuter et manipuler, et comment vous avez l'intention de vous servir de ce matériel[8]». Les comportements de structuration de l'enseignant comprennent l'utilisation de l'induction, l'énoncé des objectifs, l'identification des activités; ils consistent aussi à souligner le contenu, à indiquer les transitions, à porter une attention particulière aux points difficiles et importants, et à résumer pendant et à la fin de la leçon. Certains auteurs incluent aussi le fait d'exiger des devoirs pertinents comme activité propre à la structuration.

Mises en situation

Vous avez peut-être planifié un ensemble très valable, mais si vous ne le présentez pas de façon pertinente, vous aurez peu d'influence sur la motivation ou l'orientation de vos étudiants. Une enseignante mit en oeuvre le processus de l'induction pour préparer une leçon sur la respiration artificielle pour les victimes de noyade. Elle avait demandé à une élève de faire semblant de s'évanouir, juste au moment où la leçon devait commencer. Les amis de l'élève se rassemblèrent autour d'elle, certains la secouèrent, d'autres essayèrent de la relever, alors que d'autres, pris de panique, se jetèrent sur elle. L'enseignante mit fin à cet épisode en disant: «Denitta, tu peux te lever maintenant.»

L'enseignante commença alors la leçon, et chaque point important se rapportait aux réactions engendrées par l'évanouissement fictif de Denitta. Ce fut une induction très efficace. Pourquoi? D'abord, ce qui allait être enseigné faisait partie de l'expérience des élèves et leur permettait de se voir totalement dans cette situation. Deuxièmement, ils étaient conscients qu'ils ne savaient vraiment pas quoi faire dans une telle situation et qu'ils avaient donc réagi de façon irrationnelle. Ces élèves étaient motivés à apprendre: ils réalisaient que si la situation avait été réelle, Denitta aurait été victime de leurs actes.

Définir des objectifs

La nécessité de définir des objectifs pour enseigner efficacement a été démontrée dans la section précédente sur la planification de la leçon. L'enseignant a également besoin de structurer les comportements afin de faire connaître ces objectifs aux élèves. Lorsqu'un enseignant énonce les objectifs de la leçon, les élèves reconnaissent plus facilement la pertinence de leur apprentissage et comprennent ce que l'on espère d'eux. Dans l'étude mentionnée plus tôt, j'ai découvert que les enseignants débutants étaient capables d'écrire leurs objectifs sur leurs plans de cours, mais qu'ils ne communiquaient pas ces objectifs aux élèves. Alors que les enseignants débutants énonçaient les activités qui serait effectuées par les élèves, les raisons ou les objectifs pour faire ces activités n'étaient jamais explicités. Cependant, la même étude démontrait que même les maîtres-hôtes étaient portés à énoncer des activités plutôt que des objectifs.

Proposer des activités ou souligner des contenus

Les activités sont des tâches que les élèves accomplissent dans le but d'apprendre ce que vos objectifs ont fixé. Tout comme les objectifs, les activités devraient être communiquées à la classe; vous serez plus efficace dans votre enseignement si vos élèves saisissent la relation entre les objectifs et les activités. Fondamentalement, vos élèves devraient comprendre comment l'activité les aidera à faire l'apprentissage identifié dans les objectifs. Si un élève vous demande: «Pourquoi faisons-nous cela?» alors vous savez que l'élève ne saisit pas cette relation. L'enseignant efficace est toujours capable de justifier les activités proposées aux élèves en les mettant en relation avec les objectifs proposés.

Considérez l'exemple suivant, qui démontre comment un enseignant du secondaire met en évidence les points majeurs du contenu et comment le contenu est relié aux objectifs de la leçon.

Aujourd'hui, je veux que vous appreniez les différences entre les hautes et les basses prairies. Nos comparaisons se limiteront aux points majeurs suivants:

1) Les sols;
2) Le climat (température et précipitations);
3) La végétation.

Lorsque nous aurons complété l'étude de ces points, vous devriez savoir comment ces trois facteurs diffèrent dans les deux types de prairies et vous devriez être capables d'expliquer leurs influences particulières sur les hautes et les basses prairies.

Indiquer les transitions et les points importants

Il est prouvé que l'utilisation de transitions et le fait de mettre l'accent sur les points importants augmentent les performances de l'élève[9]. Une transition est un énoncé de l'enseignant qui indique clairement aux élèves qu'il se prépare à introduire une nouvelle idée, un autre exemple ou un autre point, ou l'étape suivante d'un processus. Les transitions permettent également de passer d'une activité à l'autre à l'intérieur d'une leçon. Vous avez probablement expérimenté une situation où vous preniez des notes pendant un cours à l'université, et où vous avez eu le sentiment d'être perdu au moment où le professeur disait: «Maintenant, passons au troisième point», alors ou vous étiez toujours en train d'écrire sous le premier point. La prochaine fois que vous serez en situation d'observateur dans une classe, soyez à l'écoute des transitions, et essayez de déterminer quels élèves ont ou n'ont pas entendu l'énoncé de la transition. Les transitions énoncées ressemblent à celles-ci:

> Soyez attentifs, je vais passer à la prochaine étape.
>
> Tournez la page et regardez le numéro un.
>
> Passons à la deuxième raison majeure (pointant cette raison sur le tableau)...
>
> Déposez vos crayons et regardez pendant que j'écris la dernière question au tableau.
>
> Maintenant, la dernière chose à faire est de déplacer le point décimal.

Souligner les points importants d'une leçon clarifie les habiletés critiques ou la connaissance nécessaire à la poursuite de l'apprentissage, en favorisant la mémorisation du point spécifique. Les points importants peuvent être soulignés en écrivant l'idée au tableau; en pointant le mot ou l'idée si elle est déjà au tableau; en ralentissant le rythme de vos discussions et en changeant le ton de votre voix au moment de rapporter les points importants, ou en disant simplement: «Le point suivant est très important.» Pour les premières années du primaire, un matériel coloré est souvent utilisé pour souligner les points importants ou les exceptions à la règle. Par exemple, dans un cours de grammaire, on peut utiliser des tons de beige pour écrire les mots qui obéissent à la règle, et des tons voyants, tel le rouge, pour souligner les exceptions à la règle. Inscrivez dans votre plan de cours les sujets sur lesquels vous allez insister et comment vous y parviendrez. Vous augmenterez la variété de vos forces expressives qui, à leur tour, vous permettront d'être plus efficace lorsque vous voudrez attirer l'attention sur des aspects importants de la leçon.

LE COMPORTEMENT RÉACTIONNEL DE L'ENSEIGNANT

Réagir, suivant Zahorik et Brubaker, c'est «... évaluer ou juger les commentaires ou les actions des élèves ou essayer de les développer ou de les changer d'une certaine façon... Normalement, la réaction de l'enseignant se produit à la suite de la réponse d'un étudiant à une question de l'enseignant[10].»

Les réactions positives comprennent l'encouragement à poursuivre, l'éloge verbal et non verbal, l'utilisation des idées de l'élève, la réorientation d'une discussion, ou bien, lors d'une réponse négative, la poursuite d'une idée en donnant la raison pour laquelle la réponse n'était pas bonne. Les enseignants ne saisissent pas toujours la signification des termes «encourager à poursuivre» et «solliciter». L'enseignant encourage à poursuivre lorsqu'il réagit à la réponse de l'élève en disant: «Dis-m'en plus à ce sujet», ou «Autre chose?» L'enseignant réagit alors en ne donnant aucune indication, à savoir si la réponse est bonne ou non. Solliciter, c'est réagir à la réponse de l'élève en disant: «La première partie de ta réponse est excellente, mais continue si tu le veux bien...» La sollicitation comporte un éloge pour la partie correcte de la réponse, avant de demander d'autres informations. On la considère comme plus efficace, puisqu'en commençant par un éloge, l'enseignant encourage l'élève à compléter sa réponse.

Une des réactions les plus importantes consiste à savoir valoriser. Ce secteur de réponse est très complexe car l'usage approprié de la valorisation n'est possible que si l'enseignant connaît bien ses élèves. En tant qu'enseignant débutant, vous ne parviendrez à valoriser de manière efficace que vers la fin de votre stage ou lorsque vous connaîtrez bien vos élèves.

De nombreuses études ont été faites sur l'usage de la valorisation[11]. On a découvert que les élèves appartenant à des milieux socio-économiques défavorisés réagissaient plus positivement à la valorisation que ceux des milieux plus favorisés[12]. L'efficacité de la valorisation dépend aussi du niveau de concordance entre la réaction de l'enseignant et la tâche de l'élève. Une valorisation qui réfère spécifiquement à la tâche ou à une partie de la tâche est plus efficace. Dire, par exemple: «Tu as très bien réussi la deuxième étape du problème», c'est beaucoup plus efficace que simplement dire: «C'est bien.» La valorisation adressée à un élève en particulier est aussi beaucoup plus efficace qu'une valorisation générale destinée à toute la classe, à moins qu'il ne s'agisse d'une performance d'un groupe engagé dans une tâche qui exige la participation. Cependant, si l'enseignant décide de valoriser toute la classe, l'efficacité de cette réaction dépend du lien qu'il fait avec la tâche en cours.

L'efficacité de votre valorisation dépend en grande partie de la façon dont l'élève la perçoit. Si l'élève perçoit vos paroles comme l'expression d'une routine à l'endroit de plusieurs élèves, votre valorisation produira peu d'effet. Bref, la valorisation la plus efficace s'adresse à un élève en particulier, se réfère à la tâche, et elle doit être perçue par l'élève comme étant sincère.

Plusieurs réactions de l'enseignant ne font qu'étirer son discours et ne motivent pas vraiment les élèves. Vous feriez mieux d'éviter les mots trop courants comme «OK», «D'accord», «Bien» et «Très bien», et la pratique qui consiste à répéter les réponses de l'élève. Vous encouragerez les élèves non seulement à vous écouter mais à écouter aussi les autres élèves si vous les encouragez à donner des réponses individuelles et audibles. Appliquez-vous à attendre quelques instants après avoir posé une question: vous obtiendrez probablement plus de réponses et celles-ci seront plus réfléchies.

Le comportement non verbal de l'enseignant peut produire plus d'effet que les réactions verbales. Un enseignant peut indiquer son accord en souriant, en faisant un signe de la tête, en se dirigeant vers l'élève, en maintenant le contact des yeux, ou en touchant celui qui répond lorsqu'il a terminé. De même, les réactions non verbales peuvent être négatives: on peut blesser grandement les élèves en ignorant leur réponse. Certains éducateurs croient qu'ignorer une réponse est une technique de gestion efficace, mais tout enseignant doit être prudent en discernant chez lui une technique de gestion et un comportement réactionnel. La meilleure règle de réaction à suivre est peut-être celle qui consiste à offrir le plus grand support possible aux réponses de l'élève. Essayez toujours de vous assurer que l'élève sache si sa réponse était bonne ou non, et si elle n'est pas bonne, pour quelle raison exactement. Enfin, un enseignant ne devrait jamais se permettre de réagir à ses élèves par le sarcasme.

EXERCICE 14.2

1. Tracez-vous un instrument de collecte de données que vous pourriez utiliser pour recueillir de l'information sur vos réactions aux élèves au cours d'une leçon (i.e. une liste, des étiquettes, etc.). Concentrez-vous sur *un* aspect de la réaction, comme une valorisation, des réponses non verbales, ou des réponses aux idées des élèves. L'instrument devrait vous aider à découvrir 1) quels comportements spécifiques vous utilisez; et 2) si vous utilisez souvent chacun d'eux.
2. Rassemblez l'information sur votre comportement réactionnel au cours d'une session pratique d'enseignement 1) en vous enregistrant, soit sur une audiocassette, soit sur une vidéocassette, et en identifiant la cassette; ou 2) en demandant à quelqu'un d'autre de vous observer en utilisant votre instrument.
3. Analysez votre comportement réactionnel en étudiant les données que vous avez recueillies. Quels aspects de vos réactions semblent aider l'apprentissage des élèves? Quels aspects ont besoin d'être améliorés?

QUESTIONNER

Questionner, c'est le coeur de l'enseignement: savoir bien questionner, c'est savoir bien enseigner. On questionne pour guider l'apprentissage ou pour orienter et évaluer la pensée de l'élève. En préparant des questions, il faut se rappeler certaines approches bien définies.

Évitez les questions incomplètes, vagues ou fragmentées. Elles n'attirent pas l'attention des élèves sur l'aspect essentiel de la question et ceux-ci ne savent pas avec certitude comment ils doivent répondre. Par exemple, les questions suivantes sont confuses:

Qu'avez-vous à dire sur le point décimal?

Comment pouvez-vous répondre à la seconde question?

Qu'avez-vous à dire de l'idée de l'auteur dans la deuxième partie du troisième chapitre?

Les élèves ne pourront pas se concentrer sur une réponse à la suite de telles questions. Au contraire, ils chercheront probablement à deviner ce que l'enseignant veut dire.

Essayez d'éviter la prolifération des questions. Pour toutes sortes de raisons, les enseignants peuvent poser plusieurs questions de suite, sans donner le temps de répondre à chacune. Immédiatement après avoir posé la première question, ils peuvent se rendre compte qu'elle aurait dû être posée de manière plus simple. Plusieurs enseignants n'aiment pas le silence et les questions en cascade leur permettent de continuer à parler. Le caractère vague des questions multiples est évident dans l'exemple suivant:

Que pouvez-vous faire plutôt que d'enraciner une plante? Que pouvez-vous faire avec la bouture après l'avoir retirée de la plante? Que pouvez-vous faire à part la mettre dans l'eau?

On ne devrait poser qu'une question à la fois. Elle devrait être bien réfléchie et bien exprimée, et on devrait allouer aux élèves le temps nécessaire à la formulation de leurs réponses.

Évitez les questions ampoulées. Il s'agit des questions posées par l'enseignant qui n'a pas l'intention de laisser répondre les élèves. Certains enseignants ont délibérément développé ce modèle de questions ampoulées au détriment de la pensée, le croyant efficace; d'autres, dans le but de se laisser le temps de penser. Cependant, essayez de vous imaginer la confusion que peuvent causer à certains élèves les enseignants qui posent cette sorte de questions:

Pourquoi devriez-vous écouter au moins un bulletin de nouvelles par jour? Eh bien, c'est une façon de vous tenir informés sur ce qui se passe dans le monde. Pourquoi devriez-vous être informés de la situation dans le monde? Eh bien, fondamentalement, pour comprendre les décisions prises par nos gouvernements. Ceci signifie que nous devons connaître les gouvernements des autres pays. Quels pays devraient être au sommet de notre liste? Considérez l'Union soviétique, les pays du Moyen-Orient, la Chine et, bien sûr, les États-Unis.

Essayez de ne pas utiliser le dernier mot d'une réponse de l'élève, les indices ou les questions de style devinette. Certains enseignants ont tendance à utiliser le dernier mot de la réponse d'un élève ou à donner des indices aux élèves avant qu'ils aient la chance de penser à une réponse. L'enseignant peut aussi poser des questions du genre: «Complétez les espaces vides», ce qui encourage les élèves à deviner les réponses plutôt que de réfléchir rationnellement à la bonne réponse. Examinez l'exemple suivant:

«Trudeau est devenu premier ministre en . . .?» Les élèves commencent à donner des réponses possibles alors qu'ils essaient de deviner l'année. (Ceci est une question style devinette.) «Quand Trudeau est-il devenu premier ministre?» Personne ne répond. «Mil neuf cent . . .?» Les élèves commencent à donner des dates mais aucune n'est juste. «Mil neuf cent soixante . . .?» Les élèves essaient encore des réponses dans les années soixante et, éventuellement, quelqu'un donne la bonne réponse. (Ceci est une question du style «utilisation du dernier mot de l'élève», ou indices.)

L'usage excessif de cette sorte de questions à tous les niveaux scolaires est malheureux parce qu'on montre aux élèves à deviner plutôt qu'à penser de façon rationnelle.

Ne vous fiez pas aux questions oui-non. Elles ne sont pas aussi vagues que les modèles que nous avons déjà discutés jusqu'ici, mais elles font perdre un temps précieux pour l'apprentissage et peuvent mener à des problèmes de gestion de la classe. Dès que l'enseignant commence une question avec «Pouvez-vous», «Y a-t-il», «Allez-vous», ou «Est-ce que vous»? les élèves peuvent répondre correctement «Oui» ou «Non». L'enseignant doit alors formuler une autre question pour provoquer une réponse au contenu. Par exemple, les questions suivantes peuvent engendrer des réponses oui-non plutôt que des réponses adéquates:

> Pouvez-vous me dire quelle est la réponse à la troisième question?
>
> Y a-t-il d'autres exemples d'espèces d'animaux dans le nord?

Évitez les questions-marathons. Elles sont vagues et confuses. Ce modèle de questions est utilisé par un enseignant qui commence une question, s'arrête, ajoute une information fondamentale ou pertinente, et termine enfin la question. Les élèves plus brillants sont peut-être capables d'identifier la première et la dernière partie de la question, mais les élèves un peu plus lents éprouvent alors beaucoup de difficulté et, souvent, ils ne sont pas capables de répondre. L'exemple suivant illustre bien ce modèle de questions-marathon:

> Des trois essais que vous avez faits hier, quelle était la différence moyenne entre – vous vous souvenez que vous avez compté le nombre de collisions lorsque vous agitiez l'équipement tranquillement et lorsque vous doubliez le rythme de votre mouvement – le nombre de collisions à chaque vitesse?

Les enseignants devraient plutôt poser leurs questions clairement et avec concision, et devraient faire un effort pour diminuer le caractère vague des questions posées aux élèves.

Faites attention aux indices cibles et aux questions sans direction. La façon dont vous invitez les élèves à répondre à votre question peut varier. Le modèle indice cible signifie que vous invitez un élève spécifique à répondre à la question. Par exemple:

Jean, pourquoi le ballon devient-il plus petit lorsqu'on le met dans le réfrigérateur?

Ce modèle de questions permet à Jean d'être alerte pour sa question, mais les autres élèves de la classe n'ont pas besoin de l'écouter ou d'y réfléchir parce qu'ils savent qu'on n'a demandé qu'à Jean de répondre. Si les indices cibles deviennent une habitude, les élèves ne réfléchiront pas aussi activement. Votre objectif, à titre d'enseignant, est d'utiliser des techniques qui feront réfléchir le plus grand nombre possible d'élèves.

Les questions sans direction n'invitent pas un élève spécifique à répondre, mais sont tout simplement lancées à la classe dans l'espoir qu'un élève répondra. Ce modèle peut aussi causer des problèmes. Vous pouvez perdre le contrôle de la réponse générale: plusieurs élèves répondront aux questions moins difficiles, mais les réponses aux questions plus difficiles ne seront données que par un petit nombre d'élèves. Avec le temps, une apathie se développe et le nombre d'élèves qui répondent devient très restreint. De plus, les questions sans direction ne remplissent pas un des buts majeurs du questionnement – superviser l'apprentissage des élèves – parce qu'elles ne garantissent pas une distribution équitable des questions à travers la classe.

Par contre, les questions avec direction sont très efficaces. Utilisant cette méthode, les enseignants demandent aux élèves qui veulent répondre aux questions de lever la main. Ce modèle est efficace si l'enseignant donne suffisamment de temps aux élèves pour réfléchir avant de répondre aux questions posées. Le temps d'attente devrait durer de 3 à 5 secondes, selon le degré de difficulté de la question et le niveau d'habileté des élèves. Les exemples suivants indiquent les variations qui peuvent être incorporées à l'utilisation du temps d'attente:

> Considérant tout le matériel étudié sur la formation des nuages, quels sont les facteurs importants à mémoriser? (pause) Suzanne? (pause)
>
> Je veux que vous réfléchissiez tous à cette question. Pourquoi pouvons-nous dire que nos découvertes ont souvent causé notre ruine? (pause de cinq secondes ou plus) Simon? (pause)

Tous les enseignants ne prescriront pas la variation du temps d'attente présenté ici; cependant, le bon sens semble dicter que plus les questions sont difficiles, plus les élèves auront besoin de temps pour réfléchir. Lorsqu'on leur donne le temps adéquat, la longueur et la qualité des réponses augmentent et le nombre de bonnes réponses augmente également. Lorsque les enseignants sont capables de développer un usage efficace du temps d'attente, ils évitent automatiquement les questions multiples, avec interruption, les devinettes, les indices et les questions rhétoriques ou sans direction.

Considérez le niveau des questions. Une discussion complète de ce sujet pourrait composer un chapitre à elle seule. Ici nous pouvons considérer seulement les facteurs les plus importants. Les questions d'ordre inférieur (étroites, courtes réponses, de mémoire ou de rappel) ont leur place dans notre enseignement. Nous les utilisons pour tester la base de connaissance possédée par nos élèves dans tout secteur d'enseignement. De même, les questions d'ordre supérieur (ouvertes, divergentes ou larges) sont nécessaires si nous voulons montrer à nos élèves comment appliquer la connaissance et les processus que nous leur enseignons. Le problème vécu par le passé était que les enseignants étaient tellement concentrés à faire part de la connaissance qu'ils oubliaient d'aider les élèves à utiliser ce qu'ils avaient appris pour en arriver à des applications, des analyses, des synthèses et des évaluations pour le sujet enseigné. Aujourd'hui, nous devons enseigner aux élèves comment appliquer la connaissance, et la meilleure façon d'y arriver est de les obliger à traiter les questions d'ordre supérieur.

Vous vous demandez peut-être s'il existe un test permettant de déterminer le bon niveau de questions. À ce stade, vous devez considérer vos objectifs. Le niveau de réflexion identifié dans vos objectifs est la clé du niveau de questions. Si votre objectif est de demander aux étudiants de «lister», «comparer», «appliquer» et «évaluer», alors les questions, de niveaux différents, devraient apparaître sous forme d'enseignement actif et de devoirs écrits. Vos objectifs vous fournissent les paramètres de vos questions clés que vous devriez écrire avant l'enseignement. Une bonne préparation vous assurera que les questions concordent avec les objectifs, et vous aidera à poser des questions plus claires et concises.

Finalement, n'oubliez pas d'encourager vos étudiants à poser des questions!

EXERCICE 14.3

1. Suivant les étapes 1 et 2 de l'exercice 14.2, collectez de l'information sur un aspect de vos habiletés de questionnement.
2. Demandez à un autre étudiant-maître d'analyser les données avec vous. Identifiez des points forts et faibles spécifiques, et discutez les façons d'améliorer vos qualifications.

RÉSUMÉ

Devenir un enseignant efficace exige beaucoup plus que simplement maîtriser les quatre secteurs de l'enseignement, i.e. la planification, la structuration, la réaction et le questionnement. Cependant, il est probable que l'efficacité dans chacun de ces secteurs vous permettra de maîtriser les autres aspects de votre profession. Par exemple, la planification est essentielle afin de compléter avec succès la plupart des tâches que nous abordons non seulement dans la classe, mais aussi à l'extérieur de celle-ci. L'habileté de présenter le matériel de façon organisée est essentielle à la plupart de nos activités, que ce soit pour présider une réunion ou préparer les vacances. Nos réactions envers les élèves, dans une variété de situations, stimulent leurs perceptions de nous, ce qui peut encourager l'apprentissage ou pas. La plupart des enseignants veulent être perçus positivement, en tant que gens qui ne sont pas indifférents et qui sont prêts à aider. Le désir d'être perçus positivement pas les élèves se retrouve aussi dans notre besoin d'être bien perçu dans la plupart de nos interactions quotidiennes. Les bénéfices tirés de la capacité de poser des questions claires et concises s'étendent au-delà des objectifs de la leçon et de la classe. Les comportements enseignants discutés dans ce chapitre s'appliquent non seulement à un enseignement efficace mais peut-être tout aussi bien à une vie efficace. N'oubliez pas, cependant, que si vous et moi vivons inefficacement, nous n'influençons que peu de gens. Par contre, si nous enseignons inefficacement, nous influençons des milliers d'élèves au cours de notre carrière. Parce que nous, en tant qu'enseignants, pouvons avoir une influence majeure sur les enfants, nous devons utiliser toutes les techniques que nous connaissons pour devenir aussi efficaces que possible.

Notes

1. Zahorik, F. I. (1970, Décembre). The effect of planning on teaching. *Elementary School Journal, 71*, 3.
2. Berliner (1983), en décrivant les fonctions exécutives de l'enseignant, inclut la planification comme une des principales fonctions. Il note que la planification doit être effectuée sur une base annuelle ainsi qu'à chaque session, mois, semaine et jour. Brophy (1982) indique également qu'une planification efficace est nécessaire au bon fonctionnement de la classe. Voir Berliner, D. (1983). The executive functions of teaching. *Instructor, 93*, 2, pp. 28-40; et Brophy, J. (1982, Mars). Classroom management and learning. *American Education,* pp. 519-528.
3. Les résultats de recherche de Duchastel et Brown (1974) supportent les fonctions de facilitation et concentrées des objectifs. Voir Duchastel, P. C., & Brown, B. R. (1974). Instructional objectives. *Journal of Educational Psychology, 66*, pp. 481-485. L'étude expérimentale de Merrill (1974) confirme les effets positifs des objectifs sur l'apprentissage. Voir Merrill, P. F. (1974). Effects of the availability of objectives and rules on the learning process. *Journal of Educational Psychology, 66*, pp. 534-539.
4. Aubertine, H. E. (1964). An experiment in the set induction process and its application in teaching. *Dissertation Abstracts International, 24,* p. 3987A.
5. Fisher, C. W., Berliner, D., Filby, N., Marliave, R., Cahen, L., & Dishaw, M. (1980). Teaching behaviours, academic learning time and student achievement: An overview. Dans C. Denham et A. Lieberman (Eds.), *Time to learn.* Washington, DC: National Institute of Education.
6. Pour de plus amples informations, voir Johnston, Janet M. (1984). A comparison of intern teacher growth at three points during a sixteen week internship. Saskatoon: University of Saskatchewan. Manuscrit non publié.
7. Zahorik, J. A., & Brubaker, D. L. (1972). *Toward more humanistic instruction.* Dubuque, Ia: William C. Brown.
8. Clark, C. M., Gage, N. L., Peterson, P. L., Stayrook, N. G., & Winne, P. H. (1975). *A factorially designed experiment on teacher structuring, soliciting, and reacting.* Stanford Center for Research and Development in Teaching, Stanford University.

9. Crossan, D., & Olson, D. R. (1971). Cité dans B. Rosenshine, *Teaching behaviours and student achievement*. Londres: National Foundation for Educational Research in England and Wales.

10. Zahorik & Brubaker, *op. cit.*, p. 39.

11. Tikunoff, W. J., Berliner, D. C., & Rist, R. C. (1975). An ethnographic study of the forty classrooms of the beginning teacher evaluation study known sample. *Beginning teacher evaluation study (Technical Report 75-10-5)*. San Francisco: Far West Laboratory.

12. Evertson, C. M. (1975). *Relationship of teacher praise and criticism to student outcomes*. Austin: The University of Texas.

Chapitre 15

LA CROISSANCE PROFESSIONNELLE VUE À TRAVERS DES MANIFESTATIONS D'INQUIÉTUDE

Alan E. Wheeler

ALAN E. WHEELER *est professeur associé en sciences de l'éducation et directeur du Département d'études des premier et deuxième cycles en éducation à l'Université Brock. Ses publications comprennent:* «Concerned about your science teaching? You should be!» *dans* The Crucible *(Mars-Avril, 1986);* «Self, teacher and faculty assessment of student teaching performance» *dans* Journal of Educational Research, 75, *3, 1982;* «An internality-externality profile for teachers», *article présenté à la 23ᵉ conférence annuelle de l'Ontario Educational Research Council en 1981; et* «Locus of control among student teachers», *article présenté à la réunion annuelle de la Canadian Society for Studies in Education, également en 1981.*

Nous ne sommes pas entièrement différents d'un crustacé particulièrement coriace. Le homard grossit en développant et en perdant une série de carapaces dures et protectrices. Chaque fois qu'il grandit, il doit rejeter la carapace qui l'emprisonne. Il se trouve alors exposé et vulnérable jusqu'à ce qu'une nouvelle carapace se forme et remplace la précédente.

Gail Sheehy[1]

Si nous appliquons cette analogie à votre croissance professionnelle, vous découvrirez peut-être que, comme le crustacé, vous devez laisser tomber une structure protectrice afin de passer, comme étudiant-maître, d'une étape développement à une autre. Le moment où votre dure carapace externe vous manquera le plus sera probablement celui de votre stage pratique alors que vous vous sentirez exposé et vulnérable, dès l'instant où vous entrerez dans votre nouveau rôle avec tout ce qu'une classe comporte de complexités. Votre façon de traiter vos diverses étapes de transition d'étudiant-maître marquera vos futurs modèles d'évolution de développement professionnel tout au long de votre carrière.

Le processus de formation des maîtres, comme bien d'autres expériences de la vie, se caractérise par un nombre d'étapes spécifiques de développement. Dans la vie de tous les jours, nos étapes de développement sont marquées par des événements tels la graduation, le mariage et la naissance d'un enfant. Les étapes de développement de l'étudiant-maître ne sont pas définies par de tels événements critiques, mais plutôt par des changements qui surviennent graduellement à l'intérieur de l'individu. Elles se manifestent souvent par les inquiétudes verbalisées et éprouvées au cours du stage par les étudiants-maîtres à différents moments. Un examen approfondi de ces inquiétudes révèle qu'elles se regroupent toutes, chacune ayant son accent propre ou son intérêt particulier; et si nous considérons ces inquiétudes exprimées dans la perspective du développement, nous découvrons un modèle utile permettant de concevoir l'évolution professionnelle des enseignants.

UN MODÈLE DE CROISSANCE DE L'ENSEIGNANT FONDÉ SUR LES INQUIÉTUDES

Le modèle de développement de l'enseignant présenté ici provient en grande partie du travail de Frances Fuller avec des étudiants. Elle a essayé de comprendre comment les étudiants-maîtres se développent ou changent avec le temps[2]. Le modèle consiste en trois stades distincts de croissance, chacun étant caractérisé par un ensemble d'inquiétudes:

Stade I: Inquiétude relative à soi-même
           (période centrée sur l'enseignant)

Stade II: Inquiétude reliée aux matières à enseigner
           (période centrée sur le contenu et la structure)

Stade III: Inquiétude liée aux problèmes d'apprentissage des
           enfants (période centrée sur l'élève)

On considère ces stades comme séquentiels, chacun comportant des types spécifiques de comportement en classe. L'hypothèse sous-jacente à ces stades est que les inquiétudes expérimentées à une étape doivent être résolues avant que l'on puisse s'attaquer à celles du stade suivant. Les enseignants pris individuellement peuvent passer à travers la séquence de leur développement à des rythmes différents, ou bien ils peuvent demeurer au premier ou au deuxième stade tout au long de leur carrière dans l'enseignement.

Malheureusement, il existe peu de travaux empiriques disponibles qui éclaireraient la façon dont s'opère vraiment la transition d'un stade à l'autre, ou sur les facteurs en cause lors du passage d'un stade à l'autre. Cependant, il est clair que des inquiétudes centrées sur l'élève sont préférables à celles qui sont centrées sur l'enseignant.

Stade I: Période centrée sur l'enseignant

> La seule chose qui m'inquiète en ce moment est celle-ci: vais-je me sentir suffisamment à l'aise en enseignant tel sujet?
>
> J'ai peur de ne plus avoir d'idées.
>
> Je m'inquiète de la discipline et de la gestion de la classe. J'aimerais savoir comment surmonter ce problème sans devoir crier et sans toujours aller voir le principal.

Tout comme dans la période initiale d'enseignement que décrit Fuller, on peut caractériser les inquiétudes du Stade I comme des inquiétudes au sujet de soi-même. En d'autres termes, à ce Stade I, les inquiétudes des enseignants proviennent de leurs propres attitudes et des sentiments qu'ils éprouvent au sujet d'eux-mêmes et de leurs rôles, et de la façon dont leur comportement en classe leur renvoie une image d'eux-mêmes. Le Stade I comprend les inquiétudes relatives au contrôle de la classe et de la discipline, au sentiment de compétence par rapport au contenu, et à la peur d'être évalué. La plupart des nouveaux enseignants sont inquiets tant de leur propre auto-évaluation que de l'évaluation faite par les élèves, les collègues et les autres au sujet de leur performance. Être adéquat, dans ce stade initial, met en cause la maîtrise du programme, la connaissance des réponses aux questions des élèves, la capacité de dire «je ne sais pas» à l'occasion, la familiarisation avec les ressources et l'équipement disponibles, l'incitation de la classe à faire ce qui est projeté, l'anticipation des problèmes – en d'autres mots, la survie en classe. Cela comporte également l'établissement de relations de travail avec le personnel de l'école et la reconnaissance à titre de professionnel à l'intérieur de l'organisation sociale de l'école. Pris dans leur ensemble, ces points contribuent à provoquer une inquiétude massive chez les étudiants-maîtres. Il est intéressant de souligner l'important travail de Veenman sur les problèmes que perçoivent les nouveaux enseignants. Il a recensé 91 études aux niveaux primaire et secondaire: dans chaque cas, la discipline en classe constituait l'inquiétude la plus fréquemment éprouvée par les nouveaux enseignants[3].

Stade II: Inquiétude reliée aux matières à enseigner (période centrée sur le contenu et la structure)

Ils veulent que je couvre toute cette matière en une seule session!

On pourrait vraiment individualiser une grande partie de cette matière en développant des modules pour le cours.

Comment puis-je utiliser l'ordinateur pour *enseigner*, pas seulement pour renforcer les notions déjà apprises?

Les inquiétudes majeures qui caractérisent ce Stade II de développement sont centrées sur l'environnement enseignant, les stratégies d'enseignement et la structure des disciplines et du programme. Au cours de cette phase, les enseignants insistent sur la compréhension intellectuelle et l'organisation cognitive de ce qui est enseigné. Bien que le Stade II s'éloigne des inquiétudes bien particulières du Stade I centrées sur soi, on considère alors l'acte d'enseigner comme étant toujours dirigé d'abord vers la classe en tant que formant une unité, en accordant peu d'attention aux problèmes individuels d'apprentissage. On insiste ici clairement sur l'acte d'enseigner et sur «l'acte d'enseigner efficacement». Cependant, la plupart des enseignants démontrent, à ce stade-ci, leur bonne volonté par rapport au fait d'expérimenter, d'essayer différentes approches didactiques, et d'être moins centrés sur le texte qu'à l'étape du stade initial. Les enseignants du Stade II se félicitent de leur habileté à enseigner.

La structure de la matière sert fréquemment de base théorique pour l'enseignement à ce stade. L'attention se porte sur les questions d'organisation de concepts, sur les objectifs, les méthodes de présentation, la préparation d'activités et de matériel didactique efficaces et sur les approches efficaces de l'enseignement. Les inquiétudes de l'enseignant du Stade II se traduisent par des essais d'innovation au niveau du programme, par des expériences au plan du réarrangement et de la séquence des sujets, et dans la souplesse croissante des approches. Les enseignants du Stade II ont tendance à voir leur propre avancement en éducation comme un moyen d'augmenter leur compétence pour transmettre la matière aux élèves.

La durée du Stade II, comme celle du Stade I, est incertaine. Elle dure probablement plusieurs années mais peut persister pour le reste de la carrière d'un enseignant.

Stade III: Inquiétude relative aux problèmes d'apprentissage individuels (période centrée sur l'élève)

Nous devrions écouter les élèves davantage avant de plonger dans un autre sujet.

La clé de l'enseignement consiste à aller chercher les réactions les plus précises des élèves.

Lorsque Emmanuel a remis son travail, je me suis assis et je me suis demandé comment il s'y est pris pour acquérir toutes ces connaissances!

Les inquiétudes propres au Stade III sont clairement centrées sur l'élève. Les enseignants font un effort conscient pour comprendre les capacités individuelles de l'élève dans l'apprentissage, pour évaluer la performance individuelle et départager leur contribution aux succès et échecs de la classe de celle des élèves. L'évaluation est proportionnelle au progrès de l'élève par rapport à son potentiel. L'enseignant du Stade III est entièrement conscient à la fois des différents effets que produisent diverses approches d'enseignement et des conséquences fort différentes relatives à la façon de mesurer les performances en éducation. La centration se fait sur l'élève: ses problèmes spécifiques d'apprentissage, ses problèmes de croissance et ses problèmes de comportement. L'enseignant est également conscient des problèmes relatifs à des aspects subtils ou peu compris du comportement pédagogique, telle l'influence des attentes de l'enseignant sur la performance de l'élève. À quel moment les inquiétudes du Stade II sont-elles supplantées par les priorités du Stade III? Cette question reste ouverte à la recherche. Il est peu probable que tous les enseignants se maintiennent constamment à ce stade.

LES STADES DE DÉVELOPPEMENT DANS LE MODÈLE DE KATZ

Il est intéressant de s'arrêter à la conceptualisation que se fait la professeure Katz du développement des enseignants de niveau préscolaire, à la lumière du modèle en trois Stades d'inquiétudes que l'on vient de décrire. Katz écrit: «Il est utile de penser à l'évolution des enseignants de niveau préscolaire (et peut-être des autres enseignants également) comme se produisant suivant des stades généralement liés à l'expérience acquise avec le temps[4].» Elle identifie quatre niveaux ou stades de développement, chacun comportant ses besoins respectifs de formation. Tout comme le modèle développé à partir des inquiétudes, le temps passé à chaque étape varie selon les enseignants; cependant, elle a conçu la progression générale d'une phase à l'autre comme couvrant les cinq premières années d'enseignement.

Stade I: Survie. Suivant les mêmes besoins identifiés dans le modèle d'inquiétudes, Katz recommande qu'un support constant et une aide soient offerts sur place pour les enseignants à cette phase initiale, qui se caractérise par une grande anxiété.

Stade II: Consolidation. Au cours de cette étape, les enseignants commencent à consolider ce qu'ils ont appris et à différencier les tâches et les habiletés qu'ils doivent maîtriser. Armés de cette base de connaissances sur les enfants et leurs comportements, ils commencent alors à se concentrer sur les problèmes des élèves. Au cours de cette étape, les enseignants ont besoin de pouvoir compter sur un support spécialisé, sur la possibilité d'échanger des idées avec des professionnels plus expérimentés et sur l'occasion de partager ce qu'ils ressentent avec d'autres enseignants engagés dans la même étape.

Stade III: Renouveau. Selon Katz, cette étape survient généralement au cours de la troisième ou quatrième année d'enseignement lorsque les enseignants désirent changer la routine établie. Ils cherchent de nouvelles idées et à innover en classe en participant à des séminaires, des cours, des lectures et des visites de classes.

Stade IV: Maturité. Tout comme l'enseignant du Stade III, les enseignants qui acquièrent la «maturité» en sont venus à s'accepter à titre de professionnels et, ainsi, peuvent réfléchir facilement à des questions plus larges et plus fondamentales sur l'éducation. Katz propose que les enseignants plus mûrs poursuivent leurs études, participent à des conférences et séminaires et prennent part à toutes sortes d'activités dans le but de répondre à leurs besoins plus avancés.

COMPARAISON DES DEUX MODÈLES

Les similitudes entre le modèle fondé sur les inquiétudes et celui des quatre étapes de Katz sont présentées dans la Figure 15-1.

L'avantage qu'on retire en examinant l'évolution de l'étudiant-maître à la lumière de ces deux perspectives est que chacune nous permet de formuler des procédures ou des techniques aux fins de faciliter le passage d'une étape spécifique à l'autre. Par exemple, la première étape est clairement une période hautement caractérisée par le stress, comportant à la fois la volonté de survivre au jour le jour et celle d'essayer de consolider tout ce qu'on a appris comme étant utile en classe. Pour que se produise le passage, il est essentiel, au cours de cette période, d'assurer un haut niveau de support en classe et que soit offerte une aide immédiate. La consolidation ne survient qu'à travers un abaissement du niveau d'anxiété dans une atmosphère d'entraide entre collègues. Il est clair que le potentiel et l'orientation de l'évolution professionnelle future des étudiants-maîtres se produisent au cours de cette phase.

Figure 15-1
Éléments communs aux deux modèles.

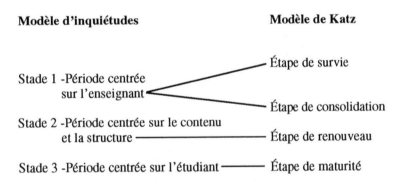

Modèle d'inquiétudes   **Modèle de Katz**

Étape de survie

Stade 1 -Période centrée
   sur l'enseignant

Étape de consolidation

Stade 2 -Période centrée sur le contenu
   et la structure ———— Étape de renouveau

Stade 3 -Période centrée sur l'étudiant —— Étape de maturité

Exemples tirés d'une recherche récente

Un certain nombre d'études informelles mais consistantes, effectuées au cours d'un programme échelonné sur une année, portait sur les inquiétudes que soulèvent expressément les étudiants-maîtres. La plus récente de celles-ci a consisté à faire un relevé des inquiétudes relatives à l'enseignement auprès d'un échantillon de 65 étudiants-maîtres, au début et au milieu de leur programme de formation des maîtres. On a classé les réponses en fonction de la fréquence des inquiétudes soulevées (sans tenir compte de l'inquiétude très présente de se trouver un emploi). Les sept inquiétudes initiales les plus fréquemment soulevées par les étudiants-maîtres furent les suivantes:

1) Sentiment d'être adéquat;
2) Gestion de la classe, discipline, contrôle;
3) Familiarisation avec le programme et maîtrise du contenu, méthodes adéquates;
4) Relations avec le personnel, l'administration, les parents;
5) Motiver les élèves à apprendre;
6) Établissement de relations avec les élèves;
7) Besoins et intérêts des individus.

Après quatre mois, la fréquence des inquiétudes relatives au sentiment d'être adéquat diminua de 33 %. De même, les inquiétudes liées à la connaissance de la matière et aux procédés du programme affichèrent une diminution remarquable (24 %) au cours de cette période de quatre mois. Les énoncés recueillis auprès des sujets de l'échantillon révèlent clairement ce changement.

Inquiétudes initiales

J'ai besoin de découvrir les points de repère (s'il en existe) concernant le contenu du programme. Qui vous dit ce que vous êtes supposé enseigner?

Lorsqu'un enfant cause du trouble, jusqu'où peut-on aller pour le contrôler? Par exemple, le faites-vous sortir de la classe?

Inquiétudes ultérieures

J'ai nettement l'impression que ce qu'apprend l'étudiant-maître à l'université se limite à «ceci est la façon de faire» plutôt qu'à *pourquoi* c'est la façon de faire.

J'ai peur de ne pas être capable de communiquer avec chaque élève individuellement à un niveau approprié.

Mon inquiétude majeure touche l'organisation et la clarté de la présentation. En d'autres mots, je veux comprendre clairement ce que j'enseigne et l'enseigner de façon à ce que les élèves comprennent eux aussi et qu'ils aiment ça!

Lorsqu'on compare les énoncés initiaux et ultérieurs, on arrive de toute évidence à la conclusion que le développement de l'enseignant correspond au modèle d'inquiétudes ci-haut étudié.

IMPLICATIONS DU MODÈLE D'INQUIÉTUDES

Le modèle d'inquiétudes soulève des questions intrigantes. Par exemple, combien de changements au juste pouvons-nous réellement espérer au cours de la période de temps limitée dévolue à la formation des maîtres? Étant donné qu'une évolution des inquiétudes survient au cours du programme de formation, l'étudiant-maître poursuivra-t-il son évolution à compter du niveau qu'il a atteint, ou recommencera-t-il à la première phase? Les stades sont-ils interdépendants ou peut-on sauter une étape? Quels critères caractérisent chacun des stades? Quels sont les facteurs déterminants d'une étape à un moment donné de la carrière d'un enseignant? Sont-ils de par nature vraiment cumulatifs? Peut-on se trouver à plus d'une étape en même temps? Jusqu'à quel point le sentiment d'inquiétude est-il fonction de la personne, de la situation enseignante, ou d'une interaction entre les deux? Est-il concevable qu'un changement d'école ou même un changement dans le climat administratif d'une même école puissent produire une régression à une étape précédente? Comment des facteurs tels le sujet, le niveau scolaire ou la nature de la population étudiante affectent-ils le développement des inquiétudes?

La Figure 15-2 présente trois courbes d'évolution possibles permettant de tracer le développement des inquiétudes et de l'expérience de l'enseignement. La transition constante que représente la courbe A à travers chaque étape, qui culmine dans les compétences du Stade III, représente clairement la plus souhaitable des trois courbes présentées. Bien que la courbe B laisse entrevoir une forte évolution initiale dans la région du Stade II, la pente de la courbe décroît considérablement dans ce secteur et peu de progrès ultérieurs sont notés. Au cours de l'évolution de l'enseignant, l'arrêt le plus sérieux et le plus prononcé est représenté par la courbe C; on n'y atteint que le Stade I, bien que l'expérience enseignante puisse être considérable. L'enseignant qui cumule 20 ans d'expérience à ce niveau est mieux décrit comme un enseignant du Stade I qui a cumulé vingt fois l'expérience du Stade I! Des stratégies qui provoqueraient l'évolution d'enseignants qui affichent un comportement C présentent un intérêt central pour l'auteur: nous ne pouvons qu'espérer que l'identification d'inquiétudes spécifiques à chaque niveau pourra éclairer les mécanismes de passage nécessaires d'un stade à un autre. Des stratégies, par exemple, qui viseraient à faire surgir et à résoudre des inquiétudes spécifiques au moment de la formation des maîtres pourraient aider l'étudiant-maître à entreprendre la profession enseignante de manière beaucoup moins traumatisante et plus dynamique.

Figure 15-2

Courbes d'évolution fondées sur les inquiétudes.

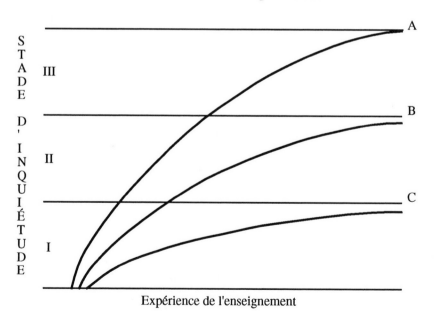

Expérience de l'enseignement

Une autre représentation des différences fondamentales d'apprentissage pouvant exister à travers les stades d'inquiétudes est présentée à la Figure 15-3. L'enseignant du Stade I voit l'apprentissage comme un processus à sens unique, avec peu ou pas d'assimilation par l'élève. L'enseignant du Stade II voit l'apprentissage comme un processus d'échange entre lui et l'élève.

Figure 15-3
Conception de l'apprentissage selon les étapes d'inquiétude.

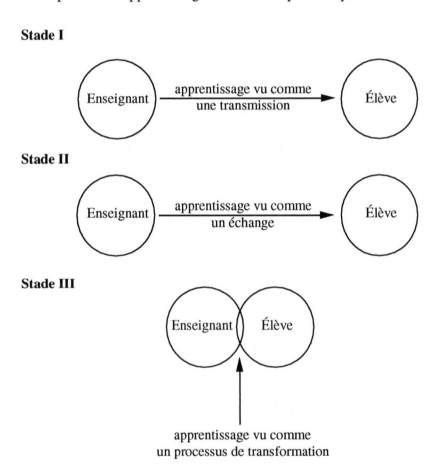

Dans la Figure 15-3, on remarque un changement important eu égard aux inquiétudes centrées sur l'enfant dans ce modèle d'échanges. L'apprentissage, pour l'enseignant du Stade III, suppose un contact direct et une transformation finale de l'enseignant et de l'élève. On conçoit mieux l'apprentissage efficace si on le considère relativement au processus de transformation.

CONCLUSION

On ne pourra échapper aux habiletés de survie et se concentrer davantage sur une croissance dans l'enseignement qu'en raffinant les moyens qui permettent de susciter une transformation de l'enseignant. Revenons à notre analogie du crustacé: afin de devenir entièrement adulte, un homard doit, de nombreuses fois au cours des années, se dépouiller de ses enveloppes protectrices. Le résultat est que chaque fois qu'il perd une vieille carapace, il – l'humain ou le crustacé – évolue de façon incroyable.

EXERCICES RÉFLEXIFS ET RECHERCHE DE SOLUTIONS

1. Quels faits reliés à votre propre expérience rejoignent le modèle de développement de l'enseignant décrit par Wheeler? Avec vos collègues, donnez des exemples.
2. Que veut dire «l'apprentissage vu comme comme un échange»? Que veut dire «apprendre, un processus de transformation»? Est-ce une distinction utile? Pourquoi ou pourquoi pas?
3. Comment pourriez-vous utiliser le modèle fondé sur les inquiétudes pour vous aider à interpréter vos expériences de stage et à en tirer profit?

Notes

1. Sheehy, Gail (1974). *Passages, predictable crises of adult life*. New York: Bantam Books, p. 29.
2. Fuller, F. F. (1969). Concerns of teachers: A developmental conceptualization. *American Educational Research Journal, 6,* 2, pp. 207-226.
3. Veenman, Simon (1984, Été). Perceived problems of beginning teachers. *Review of Educational Research, 54,* 2, pp. 143-178.
4. Katz, L. (1972). Developmental stages of preschool teachers. *Elementary School Journal, 73,* p. 50.

69

Chapitre 16

RÔLE DE L'AUTO-ÉVALUATION DANS LE DÉVELOPPEMENT PROFESSIONNEL

Antoinette Oberg

ANTOINETTE OBERG *est responsable du programme de deuxième cycle sur les études du programme à la Faculté des sciences de l'éducation de l'Université de Victoria. Ses recherches et son enseignement se concentrent sur la façon dont les enseignants bâtissent des programmes et la manière dont ils établissent le déroulement de leur pratique. Elle a récemment publié des articles dans* The Australian Administrator *et le* Journal of Curriculum Studies.

Au cours de votre stage probatoire, et peut-être pendant quelque temps par la suite, différents éducateurs professionnels auront la responsabilité d'évaluer votre enseignement. Votre superviseur, votre maître d'application, votre directeur d'école, ou peut-être un superviseur du district scolaire apparaîtront, papier et crayon en main, pour noter vos forces et vos faiblesses comme ils les perçoivent et pour faire des suggestions constructives concernant la façon dont vous pourriez améliorer votre enseignement. Cependant, au fur et à mesure que vous devenez un professionnel plus autonome, vous devez commencer à prendre sur vous-même cette responsabilité d'évaluer votre enseignement. C'est-à-dire que vous devrez apprendre comment prendre une pause à intervalles réguliers aux fins d'évaluer votre performance et ses effets, de faire vos propres commentaires sur vos forces et vos faiblesses, et d'organiser votre propre horaire en vue d'améliorer votre pratique enseignante.

RAISONS À L'APPUI DE L'AUTO-ÉVALUATION

Plusieurs raisons militent en faveur de l'importance de l'auto-évaluation pour un étudiant-maître, un enseignant, ou toute personne engagée dans une pratique professionnelle. D'abord, en identifiant vos points forts et en obtenant la confirmation des effets désirables de vos actions, cela conduit à un profond sentiment de satisfaction personnelle et professionnelle. Vous pouvez être heureux, et avec raison, lorsque vous captez et soutenez l'attention des élèves pendant le cours d'arithmétique pendant 15 minutes chaque jour, et vous savez que votre succès est attribuable à votre présentation vivante et à votre allure énergique, et non simplement à la chance ou au goût naturel des élèves pour l'arithmétique. Acquérir la conviction que vos succès dans un certain secteur sont le résultat de vos décisions et de vos actions est l'une des récompenses les plus saisissantes et les plus valorisantes de l'enseignement.

Deuxièmement, vous obtenez une satisfaction encore plus grande en réalisant que vous avez atteint un objectif d'*éducation* important, en constatant que les élèves ne sont pas seulement intéressés aux leçons d'arithmétique, mais qu'ils comprennent le principe du regroupement et, plus important encore, qu'ils prennent généralement plaisir à manipuler les nombres et, de leur propre initiative, qu'ils ont tendance à utiliser leurs habiletés de multiples façons en dehors des leçons d'arithmétique prévues. Les objectifs d'éducation plus larges tels que réaliser la valeur de l'arithmétique dans la vie de tous les jours, ou traiter les autres élèves avec courtoisie et respect, sont souvent bien loin de l'esprit des éducateurs, en raison des inquiétudes reliées à des tâches plus pressantes et immédiates, comme les bonnes réponses et un comportement d'obéissance. La sorte d'auto-évaluation qui sera décrite plus loin dans le chapitre aide à faire remonter à la surface ces objectifs éducationnels de valeur et à faire prendre conscience de la manière dont ils exercent une influence importante mais discrète sur vos décisions et vos actions. Elle fournit la possibilité de formuler des objectifs et des valeurs explicitement et de les rendre manifestes non seulement à vous mais aussi aux autres.

On retrouve en soi-même une troisième raison qui fonde l'auto-évaluation. Elle vous permet d'expliquer en langage professionnel pourquoi vous agissez d'une façon qu'intuitivement vous savez être la bonne bonne. Que vous suiviez les grandes lignes du programme, les conseils d'un enseignant plus expérimenté ou votre propre intuition d'éducateur professionnel, vous êtes personnellement responsable de vos décisions au sujet de votre enseignement et de la façon dont vous le pratiquez. Les enseignants qui ont bien analysé et évalué leur propre enseignement sont capables d'assumer la responsabilité de leurs actions.

Lorsque vous connaissez les objectifs éducatifs que vous désirez ateindre, il devient plus facile de voir en quoi une amélioration devient nécessaire et comment cette amélioration peut se faire. Par exemple, si vous considérez que le comportement coopératif de groupe est une priorité éducative, vous pourriez décider de prendre une partie de la période d'études sociales pour discuter des sentiments des élèves vis-à-vis d'activités telles que les projets de groupe ou une recherche coopérative en bibliothèque. Ou vous pourriez préparer une leçon ayant deux buts, en utilisant un mythe qui met en évidence des comportements coopératifs et non coopératifs, ce qui fournirait ainsi en même temps une grille de lecture interprétative des comportements et l'occasion d'une discussion en classe. Il est plus probable que vous puissiez concevoir vos propres mesures d'amélioration lorsque vous avez réfléchi profondément et honnêtement à ce que vous valorisez en éducation au profit de ceux qui apprennent et pour qui vous travaillez. L'auto-évaluation vous donne le pouvoir d'améliorer votre enseignement continuellement.

Connaître ce que vous essayez d'accomplir en éduquant et être capable d'expliquer vos buts, cela produit un sentiment de confiance profonde et confortable dans la valeur de ce que vous faites et dans vos habiletés à faire ce que vous savez être juste. La confiance qui se dégage de vous est bien perçue par les élèves, les parents et les collègues, et elle gagne leur respect et leur coopération. La confiance en soi vous rend plus sujet à initier des idées nouvelles et vous rend plus réceptif aux idées des autres. Vous jugez la convenance des nouvelles solutions en utilisant les mêmes critères que ceux qui vous servent à évaluer votre performance. Bien que les réponses aux questions concernant ce qu'il faut faire ne soient pas toujours claires, vous serez capable d'expliquer les fondements sur lesquels repose votre éventuelle décision.

QUOI ÉVALUER

L'évaluation de votre enseignement peut paraître un travail si complexe et si difficile qu'il sera accablant si vous le considérez comme une tâche coupée de vos autres activités. Il faut adopter un autre point de vue plus approprié. Plutôt qu'une tâche supplémentaire à accomplir, vous devriez considérer l'auto-évaluation comme un état d'esprit ou une attitude envers l'enseignement qui caractérise votre approche en tout temps. L'auto-évaluation sous-entend une disposition à l'autocritique et à la réflexion sur votre enseignement. Ceci signifie que vous prenez continuellement du recul vis-à-vis des exigences absorbantes des activités de la classe, et que vous essayez de voir les événements qui surviennent dans votre enseignement avec la curiosité naïve d'un visiteur extraterrestre, en vous posant certaines questions plutôt percutantes.

La première question et la moins difficile (elle n'est nullement facile) est celle-ci: «Est-ce que je sais mettre à profit mes techniques et mes habiletés?» Cette question sera de toute première importance durant vos études en formation des maîtres: au cours de votre stage d'enseignement, on vous aide à développer des techniques et des habiletés; il s'agit là d'une période où l'on vous donne votre première chance de commencer à aiguiser les outils importants du métier. Les techniques sont des stratégies destinées à atteindre des buts tels que distribuer le matériel, faire la transition d'une activité à une autre, obtenir de l'information de la part de chaque élève individuellement, ou diriger un groupe de lecture. Par contre, les habiletés – comme la bonne conduite et l'aisance – doivent être développées à travers la pratique continue. Des habiletés sont nécessaires pour exploiter efficacement une technique, par exemple, lorsqu'il s'agit d'effectuer sans difficulté la transition d'une activité à une autre, de consigner par écrit les résultats de chaque élève sans perdre le contrôle de la classe, de se sentir à l'aise dans le groupe de lecture. Vous serez capable de sentir si vous utilisez ou non vos techniques et vos habiletés pour accomplir ce qui est prévu. Les signes du succès seront probablement que les élèves sont attentifs, coopèrent et demeurent intéressés; le matériel est traité efficacement sans confusion ou perte de temps; le temps passé sur chaque partie de la leçon est juste suffisant pour que les élèves soient occupés; et la leçon se termine à temps. Si les signes habituels de réussite ne témoignent pas du succès escompté, alors vous pouvez chercher d'autres techniques auprès de vos collègues dans l'enseignement, ou bien dans des livres, ou enfin dans les replis créatifs de votre esprit.

Une deuxième question que vous devez vous poser au sujet de votre auto-évaluation est celle-ci: «En quoi les techniques que j'ai retenues et mes habiletés conviennent-elles aux objectifs que j'essaie d'atteindre?» Vous pouvez vous poser cette question dès l'étape de la planification, mais aussi au cours d'une période d'enseignement ou tout de suite après. Lorsque vous repassez vos plans de cours avant d'enseigner, cette question dirige votre attention sur le lien qui existe entre les sortes d'apprentissage que vous projetez pour les élèves (énoncées explicitement ou non) et les expériences que rendent possibles vos techniques d'enseignement. Par exemple, la disposition en cercle qu'on utilise si fréquemment dans les groupes de lecture à l'école primaire fournit la possibilité aux enfants de développer des habiletés à la lecture orale, la patience requise pour attendre son tour, l'habileté à écouter, la bonne prononciation et des habiletés d'interprétation littéraire, mais, la plupart du temps elle ne permet pas aux enfants d'expérimenter la lecture pour le plaisir personnel, en fonction de la vraie vie, ou par signification personnelle. La question du lien entre les techniques et les objectifs, lorsqu'on se la pose pendant ou à la fin d'une leçon, est une question reliée à l'efficacité: «Ai-je vraiment atteint mes objectifs en mettant en oeuvre mes techniques et mes habiletés?» Ce que vous vous proposiez concernait peut-être la démonstration d'une compétence particulière ou, comme c'est souvent le cas, une sorte d'expérience particulière que devaient vivre les élèves, comme expérimenter une forme d'art, coopérer avec un partenaire, prendre ses propres décisions, ou compléter un projet (ce qui peut se faire de multiples façons toutes également acceptables et valables).

La série suivante de questions d'auto-évaluation touche vos objectifs d'enseignement eux-mêmes, c'est-à-dire ce que vous avez l'intention de faire pour que vos élèves apprennent. La troisième question pourrait être: «Quels objectifs valent la peine d'être spécialement soulignés?» Faisant face à beaucoup plus de possibilités que ce que vous pouvez mettre en oeuvre, vous devez souvent choisir quelques objectifs précis sur lesquels vous ferez porter la plus grande partie de votre attention. Les réponses de la plupart des enseignants à cette question sont influencées par leurs propres connaissances, leurs intérêts, et par le matériel disponible. Les enseignants font porter leurs efforts surtout sur les objectifs qu'ils connaissent le mieux, en tenant compte de leurs intérêts, et pour lesquels ils peuvent facilement obtenir le matériel didactique correspondant. Ils peuvent également s'attarder aux intérêts des élèves et à la question de savoir comment les sous-ensembles d'objectifs sélectionnés sont reliés les uns aux autres. Ces raisons sont toutes légitimes dans le choix des buts que l'on se propose particulièrement d'atteindre.

Cependant, une question encore plus importante surgit: «Les buts que je vise en valent-ils la peine?» À première vue, cette question peut sembler non pertinente ou inappropriée à des enseignants qui croient que l'on doit faire ce qui est prescrit dans le guide pédagogique. Cependant, comme vous l'avez peut-être déjà découvert, le guide typique laisse place à une large interprétation de la part de l'enseignant au sujet du choix des stratégies et des objectifs d'enseignement. Même si vous croyez qu'il vous reste peu de marge de manoeuvre dans la formulation de votre propre version des objectifs, vous êtes néanmoins, à titre de professionnel, responsable des objectifs que vous adoptez. Cela signifie que, dans la mesure où vous exercez un choix dans la décision relative au «comment ou quoi enseigner», vous devez être capable de répondre de ce choix en l'expliquant et en fournissant des raisons à l'appui de vos décisions. Vous devez donc toujours vous demander, au cours de votre auto-évaluation, si les objectifs que vous avez formulés ou adoptés en valent la peine ou non.

Pour répondre à cette question, vous devez vous référer à l'idée que vous vous faites de ce que veut dire «être instruit». Cette idée sera probablement plutôt vague et difficile à exprimer adéquatement avec des mots. Si vous pouvez énoncer clairement et brièvement votre conception de l'éducation, vous possédez probablement une notion trop limitée, compte tenu du but que nous avons en tête ici. Être instruit, c'est avoir appris à vivre d'une certaine façon, caractérisée par certains états d'esprit, certaines utilisations de la connaissance, et certains buts et valeurs qui contribuent à l'amélioration de la condition humaine. L'éducation consiste à apprendre à penser, voir, sentir, comprendre, croire, imaginer, espérer, valoriser, choisir et agir. Penser de façon critique, utiliser la connaissance de façon créatrice, et agir de manière juste, prudente et sage, tout cela fait partie de l'éducation. Il s'ensuit que le signe qui caractérise la personne cultivée dépasse de beaucoup la simple maîtrise d'une connaissance et d'habiletés particulières. Cela signifie agir, non pas d'une façon qui peut être préspécifiée, mais d'une manière qui est appropriée à toute situation donnée qui exige l'action d'une personne cultivée.

Cette discussion beaucoup trop brève sur ce que signifie l'éducation a pour but d'élargir les frontières de votre concep-tion des objectifs éducatifs appropriés et de vous préparer à aborder la dernière question de l'auto-évaluation, la plus difficile et la plus importante: «Est-ce que ce qui se passe à l'endroit où je suis en train d'enseigner relève vraiment de l'éducation?» Cette question englobe tout le système de l'éducation, non seulement votre classe, l'école ou le district. Il s'agit de reconnaître que ce que vous faites dans votre classe prend la forme de tout un système éducatif beaucoup plus large et y contribue. Cette question vous force donc à faire face à ce fait difficile à accepter: bien que vous ayez peu de contrôle sur le grand ou le petit système d'éducation, vous avez une certaine responsabilité relative à la façon dont ces systèmes opèrent. Cette question vous invite également à réaliser que tout pourrait être différent, pire ou mieux. En réalisant ceci, vous aurez le pouvoir de rendre votre condition enseignante meilleure, plus éducative, grâce aux objectifs et aux stratégies d'enseignement que vous choisissez, au fur et à mesure que vous répondez à toutes les questions d'auto-évaluation.

COMMENT ORGANISER L'AUTO-ÉVALUATION

Pour répondre aux questions de l'auto-évaluation posées ci-dessus, cela prendra autant d'années que celles que vous passerez dans la profession enseignante. Les réponses ne sont pas faciles à trouver, mais certaines suggestions peuvent aider à organiser cette recherche. Avant de présenter ces idées, il est important de noter que, pour réussir son auto-évaluation, cela requiert certaines dispositions et capacités, les mêmes qui caractérisent une personne cultivée. Les attitudes requises pour ce faire comprennent entre autres: la bonne volonté de mettre en question ce qui semble fermement admis et qu'on tient pour acquis, tant par rapport à soi-même que par rapport aux autres personnes et aux institutions; un engagement à agir de manière droite, sage et équitable envers tous; une ouverture et une sensibilité aux autres points de vue et à de nouvelles possibilités; l'audace de se risquer à exposer votre situation et votre point de vue à un examen minutieux; et la confiance en vous-même comme source d'actions plus éducatives. Cela peut prendre un certain temps avant d'admettre avec confiance que vous possédez toutes ces qualités. Si vous pensez que vous vous êtes engagé à devenir un bon enseignant et admettez que vous avez vos propres idées sur l'enseignement et l'apprentissage, alors vous êtes prêt à recueillir les bienfaits d'une auto-évaluation.

Un bon point de départ, ce sont des épisodes ou des leçons spécifiques que vous avez observées, ou mieux, enseignées. En décrivant ces expériences en les analysant et en y réfléchissant, vous essayerez d'identifier les raisons pour lesquelles vous agissez de telle ou telle façon en classe sous l'une ou l'autre des deux formes suivantes: des énoncés sur les objectifs que vous valorisez ou considérez désirables et essayez d'accomplir; ou des énoncés sur ce que vous croyez qui caractérise et influence vos élèves, vous-même en tant qu'enseignants, votre programme d'enseignement et la situation de votre classe ou de l'école. Par la suite, vous pourrez chercher des façons de rendre votre enseignement plus éducatif.

Première étape: la description

Le premier pas, c'est une description. Il survient lorsque vous n'enseignez pas et que vous avez suffisamment de temps pour consigner par écrit une portion de leçon récente. Choisissez une partie de leçon que vous aviez trouvée consternante, satisfaisante, frustrante, fascinante, ou d'une certaine façon intéressante, et écrivez ce qui s'est passé sous la forme d'une entrée de données, notant ce que vous avez dit et fait, comment vous vous sentiez et ce que vous pensiez, tout autant que ce que les élèves ont dit et fait.

Voici un échantillon de description d'un épisode:

Les enfants avaient été plutôt disciplinés toute la matinée, travaillant de façon diligente sur leur lecture et les mathématiques, alors j'ai décidé de leur faire faire une pause en leur permettant de jouer à un de leurs jeux favoris juste avant la fin de la période du matin. J'ai utilisé la promesse d'un jeu pour leur faire ranger leurs livres de mathématiques et les aider à s'organiser rapidement. Ils étaient bruyants. Je ne me suis pas fâché et j'ai tout simplement attendu patiemment et silencieusement jusqu'à ce qu'ils soient prêts. Finalement, je leur ai demandé à quel jeu ils voulaient jouer. Ils ont tous répondu différemment, alors j'ai dit: «On passe au vote.» Le vote favorisa le jeu du *Scratch,* et ils commencèrent immédiatement à pousser leurs pupitres pour faire de la place pour le jeu. J'ai demandé qui avait été le juge la dernière fois. Puisqu'il y avait controverse, j'ai choisi S arbitrairement, tout simplement pour accélérer le processus. Puis, pensant aux stratégies d'étude sur lesquelles ils avaient travaillé à la bibliothèque, je leur ai demandé quelles étaient certaines des stratégies pour ce jeu. Ils commencèrent à donner des règles spécifiques, alors j'ai dû leur souligner que les stratégies étaient différentes des règles du jeu, que les stratégies étaient des techniques qui font que le jeu marche. Ils ont fini par tomber sur une ou deux stratégies. J'ai formé un cercle et le jeu débuta. J'ai dû couper court à la première ronde parce que H tomba trop rapidement après avoir serré la main du voleur. Ceci l'a rendue beaucoup plus mal à l'aise que je l'aurais cru. Les autres enfants commencèrent à l'agacer et je me sentais mal pour elle. Nous avons joué trois autres rondes avant la cloche. Le jeu progressait si rapidement qu'il était difficile de savoir qui devait être en prison. À un certain moment, je croyais que R avait été touché et je lui ai dit qu'il devrait être en prison, mais L, le juge, me corrigea et je me suis excusé. Les enfants ont réellement semblé s'amuser.

Deuxième étape: l'analyse

Après avoir écrit votre description, passez immédiatement à la deuxième étape, celle de l'analyse. Relisez votre description en essayant de découvrir quels ont été vos postulats de base concernant vos objectifs, vos élèves, leur apprentissage, votre rôle, votre programme, et la situation de votre classe et de l'école. Essayez de regarder l'épisode du point de vue des élèves. Demandez-vous quels messages ont pu passer à travers cette leçon. Examinez non seulement ce qui était projeté mais aussi les messages cachés dans votre façon d'intervenir, vos règlements et vos attentes, l'arrangement de la classe, les rôles que vous avez donnés. Essayez d'être franc avec vous-même. Il n'est pas nécessaire de partager les résultats avec d'autres. Vous pourriez consigner par écrit votre analyse sous la forme d'une liste qui ressemble à celles-ci:

Objectifs / Valeurs

- Les mathématiques et la lecture sont plus importantes que les jeux;
- Les habiletés en mathématiques et en lecture sont plus importantes que les stratégies, la coopération et l'obéissance qu'on apprend en jouant;
- On doit récompenser les enfants pour leur bon travail;
- On doit donner une pause aux enfants au cours de leur travail;
- On devrait permettre aux enfants de choisir leurs activités durant les temps libres;
- Les décisions de groupe devraient être prises en votant;
- Le temps a de la valeur et on ne devrait pas en perdre;
- L'école devrait être plaisante;
- L'enseignant devrait partager les moments joyeux avec les élèves;
- Les enfants doivent apprendre des stratégies, pas seulement des règles;
- Les enfants devraient être respectés en tant qu'êtres humains, écoutés et non gênés.

Croyances concernant les élèves

- On ne peut pas toujours leur faire confiance pour suivre les règles du jeu;
- Parfois ils savent plus ce qui se passe que l'enseignant.

Croyances concernant l'apprentissage

- Ça requiert un travail ardu;
- On peut apprendre tant dans les jeux qu'en faisant un travail assis;
- Apprendre exige une structure;
- L'apprentissage requiert une organisation chez l'enseignant.

Croyances concernant son propre rôle

L'enseignant est :
- chargé de faire respecter les règles;
- un chronométreur;
- instigateur;
- directeur des activités;
- arbitre des disputes;
- parfois dans l'erreur.

Croyances concernant le programme

- Les concepts (comme les stratégies) qui sont importants dans une matière de base (comme les mathématiques) peuvent être renforcés dans un jeu.

81

Croyances concernant la situation

- L'arrangement de la pièce peut être changé pour faciliter différentes activités;
- Un niveau de bruit modéré ne dérange pas les autres enseignants.

Troisième étape: la critique

La troisième étape consiste dans la critique, et il vaut mieux la faire plus tard et dans un autre environnement. Après un jour ou deux, retournez à votre liste de postulats de base et reconsidérez-la avec un oeil critique. Ce que vous voyez vous plaît-il? Affirmeriez-vous publiquement les croyances et valeurs que vous avez énumérées? Si non, pourquoi? Êtes-vous en désaccord avec certaines d'entre elles? Sont-elles imputables à des circonstances qui dépassent votre contrôle? En êtes-vous sûr? À quel point votre insatisfaction est-elle sérieuse? Y a-t-il des façons de compenser vos frustrations? Manque-t-il certains buts ou croyances que vous aimeriez voir apparaître dans la liste? Pourquoi n'y sont-ils pas? Pourraient-ils s'y trouver? Quelles sortes d'organisations et d'actions enseignantes pourraient leur permettre de se manifester?

Quatrième étape: l'invention

La dernière question relative à la critique fournit l'occasion d'une transition vers la quatrième étape, celle de la créativité. Loin d'être découragé par les éléments négatifs que vous avez expérimentés en faisant la revue critique de votre liste de suppositions, vous devriez voir la critique comme l'occasion de grandir au plan professionnel. Se développer requiert la perception d'un besoin ressenti et l'ingéniosité de faire quelque chose d'opportun. Le processus est graduel, parfois lent; il demande patience et persévérance. Le but est d'élaborer des façons d'agir qui sont compatibles avec vos croyances et vos valeurs. Il faudra peut-être envisager des changements dans votre répertoire de techniques et d'habiletés, dans les objectifs que vous visez ou dans les normes et attentes qui définissent le contexte dans lequel vous enseignez. Une étudiante-maître qui avait trouvé une contradiction entre la description de son enseignement de l'art du langage et sa croyance dans l'importance de développer le langage oral avait décidé de présenter une requête à son directeur afin de bénéficier de l'aide d'un autre professeur pour écouter ses élèves en train de lire. Lorsque sa demande fut acceptée, elle demanda de l'espace additionnel dans le vestiaire et le hall d'entrée. Un autre étudiant-maître, dont la description de sa classe de 10ᵉ année d'études sociales démontrait que ses élèves manquaient d'intérêt et se sentaient ennuyés, décida qu'il:

> ... se familiariserait avec les intérêts de ses élèves. Cette prise de conscience pourrait m'offrir un aperçu des approches qui permettent de reconnaître davantage les ressources cognitives des élèves... Je pourrais mettre plus de suspense dans mes plans de cours et tenter d'émouvoir la tension vitale qui, comme le dit Barone, jaillit lorsque l'émotion humaine se combine à l'apprentissage. Écrire des objectifs expressifs et ouverts et permettre l'émergence d'objectifs nouveaux, cela pourrait également susciter cette tension vitale.

Un troisième étudiant élabora son plan d'enseignement en accord avec ses croyances sous la forme d'un credo:

> Je crois aux points de vue globaux sur la citoyenneté. Je vais insister sur les similitudes et non sur les différences entre les nations et les gens.
>
> Je crois dans la réflexion et la résolution de problèmes en tant qu'outils. Je les leur enseignerai. Je laisserai les élèves les utiliser. Si possible, je vais les laisser me voir les utiliser.
>
> Je crois dans le fait de savoir lire et écrire. Je vais leur fournir le plus d'expériences possible pour le promouvoir.
>
> La meilleure façon de faire de ma classe un endroit plus éducatif est d'être un enseignant plus cultivé.

CONCLUSION

Ces quatre étapes – description, analyse, critique et invention – constituent le premier cycle d'une spirale continue d'auto-évaluation. Chaque cycle subséquent débute à nouveau avec la description d'un épisode d'enseignement. Il s'ensuit une analyse et une critique où l'amélioration est mise en évidence en fonction des croyances et des valeurs épousées. Le point culminant est l'élaboration d'un nouveau plan d'évolution continue. La spirale est potentiellement illimitée. Lorsque dans un certain cycle nous faisons face à des circonstances que nous ne pouvons changer, nous élaborons de nouvelles façons de compenser ou de traiter la situation, et la spirale des cycles continue. Nous ne sommes jamais pris ou emprisonnés par les circonstances. Nous pouvons toujours dépasser la situation présente. Telle est la promesse d'une auto-évaluation réfléchie.

EXERCICES RÉFLEXIFS ET RECHERCHE DE SOLUTIONS

1. Identifiez un épisode récent d'enseignement qui vous a particulièrement poussé à la réflexion. Évaluez cet épisode en suivant les quatre étapes suggérées: description, analyse, critique et invention.
2. Analysez vos réactions face à cette activité. Demandez-vous :
   a. Quel était mon niveau d'intérêt ou d'engagement dans cette activité? Pourquoi?
   b. Quels aspects de ce processus se sont bien déroulés? Quels aspects ont été difficiles pour moi?
   c. Que m'a appris cette activité?
   d. Que puis-je faire pour développer davantage mes habiletés d'auto-évaluation?

Chapitre 17

DEVENIR UN PRATICIEN RÉFLEXIF

Patricia Holborn

PATRICIA HOLBORN, *une ancienne enseignante du primaire, travaille depuis 14 ans avec des étudiants-maîtres. Elle travaille à l'Université Simon Fraser où elle enseigne, supervise un stage en Supervision de type génétique pour les maîtres-associés, et dirige des ateliers pour les étudiants-maîtres dans le cadre du programme de Développement professionnel. Elle dirige également la recherche sur le modèle de supervision de type génétique. On retrouve parmi ses publications: «The role of the cooperating teacher», des articles sur la conférence annuelle* WESTCAST, *Winnipeg, 1978; «The university course as continuing education for teachers» (avec D. Hopkins) dans* British Journal of Inservice Education, *9,3 (1983); et* «Research in Canadian teacher education: Promises and problems» *(avec M. Wideen), dans* Canadian Journal of Education, *11,2 (1987).*

Les gens n'apprennent pas nécessairement à partir de l'expérience s'ils n'y pensent pas ou s'ils ne prennent pas la responsabilité de la créer.

Anon

L'étudiant-maître, au cours de sa formation, a la chance d'accumuler un ensemble complexe d'expériences remplies d'occasions de connaître les élèves, l'enseignement et l'éducation, et son propre développement professionnel. Chaque interaction d'élèves et d'événements ayant sa propre dimension unique, on pourrait même considérer chaque jour de classe comme une nouvelle expérience, chargée d'émotions et de défis.

Cependant, la perspective de faire continuellement face à l'inconnu ou à l'inattendu peut être très stressante et parfois accablante. Heureusement, nous pouvons nous rassurer puisqu'au fur et à mesure que notre base d'expérience grandit, certains éléments deviendront familiers et routiniers. En nous familiarisant avec nos élèves, nous commençons à comprendre leur personnalité et leurs besoins individuels; nous apprenons que certaines actions apportent des réponses plutôt prévisibles; que certaines interventions éducatives rendent plus à l'aise et sont plus efficaces que d'autres. Pour reprendre les termes de Peter Hemingway, nous développons des théories personnelles sur ce qui fonctionne pour nous, théories fondées sur des principes extraits de notre expérience; ces théories nous aident à prendre des décisions relatives à ce qui pourrait fonctionner dans de nouvelles situations.

Tout cet apprentissage peut survenir sans que nous en soyons vraiment conscients. Les recherches ont démontré que la pression constante de l'enseignement laisse peu de temps pour la méditation. Mais comme l'épigraphe de l'introduction le suggère, beaucoup d'apprentissage peut se perdre si nous ne prenons pas le temps d'analyser nos expériences et d'évaluer les effets de nos actions sur les événements qui se passent en classe et sur leurs résultats.

Ce chapitre décrit un modèle simple de processus de démarche réflexive et suggère des façons de l'utiliser pour retirer le maximum d'avantages de vos expériences de stage. Après l'étude du modèle, nous examinerons les façons qu'utilisent des professionnels compétents pour s'engager dans la démarche réflexive, et nous verrons comment vous pourriez pratiquer et développer vos habiletés de démarche réflexive. En particulier, nous envisagerons le journal de pratique professionnelle comme outil de démarche réflexive, en suggérant des exercices spécifiques qui peuvent rendre cette démarche plus efficace.

LA DÉMARCHE RÉFLEXIVE

La démarche réflexive est souvent définie comme une méditation, une attention ou la considération minutieuse d'une matière, d'une idée ou d'un but. Le processus de la démarche réflexive inclut un examen critique de ses expériences dans le but d'en retirer de nouveaux niveaux de compréhension capables de guider nos actions futures. La Figure 17-1 indique un modèle simplifié du processus de la démarche réflexive. Vous remarquerez la similitude entre ce modèle et les quatre étapes de description, analyse, critique et invention décrites par Antoinette Oberg dans le chapitre précédent: «Rôle de l'auto-évaluation dans le développement professionnel.» En fait, son chapitre propose une application spécifique de ce modèle au processus d'auto-évaluation.

Le processus de la démarche réflexive est cyclique en ce sens que la compréhension de nos expériences se transforme en principes et théories qui guident nos actions au cours des situations futures, et à son tour, l'interaction de nos comportements avec une nouvelle situation mène à un autre cycle de démarche réflexive et de compréhension.

Figure 17-1
Modèle simplifié du processus
de la démarche réflexive

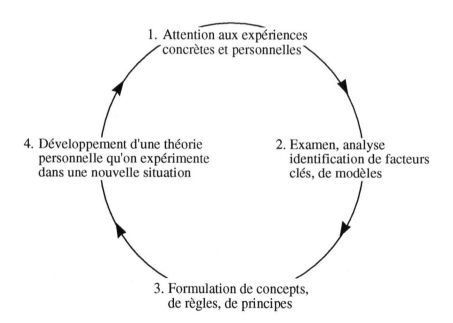

1. Attention aux expériences concrètes et personnelles

2. Examen, analyse identification de facteurs clés, de modèles

3. Formulation de concepts, de règles, de principes

4. Développement d'une théorie personnelle qu'on expérimente dans une nouvelle situation

Le *Stade 1* du processus de démarche réflexive débute par nos expériences concrètes personnelles. Cette étape se caractérise par une attention consciente aux événements qui surviennent. Être attentif à notre expérience peut sembler quelque chose d'automatique, mais les recherches démontrent que, dans chaque situation, nous nous concentrons de façon sélective sur certaines variables tout en ignorant les autres. Une des façons d'accroître notre conscience d'aspects importants de notre expérience quotidienne est de nous préparer à l'avance à l'aide de questions ou d'une cible qu'on fixe à nos observations.

EXEMPLE, STADE 1: Enseignant, 8h30, mercredi matin

Dernièrement, les interactions de Jean avec ses compagnons de classe m'ont inquiétée. Il semble causer plus de troubles que d'habitude. Aujourd'hui, je vais le surveiller de plus près.

Dans ce cas particulier, l'enseignante fait porter son attention sur des événements particuliers qui suscitent une inquiétude relative au comportement de Jean. Elle veut apprendre davantage à partir des expériences de la journée, et elle se donne pour tâche d'examiner avec soin les événements qui pourraient éclairer la situation.

Malheureusement, nous ne pouvons pas toujours nous préparer à prêter attention à des événements spécifiques comme l'a fait cette enseignante. Des problèmes inattendus qui exigent une réaction immédiate surviennent fréquemment dans une classe. Cependant, nous pouvons nous préparer à apprendre quelque chose de ces nouvelles situations en étant ouverts et flexibles dans nos réponses et en observant soigneusement les interactions entre notre comportement et la dynamique de la situation. Le chapitre de Peter Hemingway intitulé «*La pratique professionnelle, source de théorie*» (Tome I) souligne l'importance d'établir des routines pour les tâches quotidiennes de manière à être libre de répondre de façon plus flexible aux situations qui se présentent.

Dans le *Stade 2* du processus de démarche réflexive, nous nous engageons dans l'analyse de nos expériences, en essayant d'identifier les facteurs clés qui influencent la situation et affectent nos sentiments et nos actions. Au cours de ce stade, nous cherchons également à découvrir des modèles et à établir des relations, non seulement en partant de l'expérience immédiate, mais aussi en les reliant aux expériences vécues.

EXEMPLE, STADE 2: Enseignant, 16h, mercredi

J'ai remarqué que Jean est arrivé à l'école en retard aujourd'hui, et qu'il a eu de la difficulté à se calmer. Je me souviens que la même chose s'est produite deux fois la semaine dernière. Son comportement en classe est toujours pire les jours où il est en retard. En y pensant bien, je me fâche toujours contre lui lorsqu'il dérange la classe en entrant. La journée commence mal pour nous deux.

Dans cet exemple, l'enseignante réfléchit sur les événements de la journée en les mettant en relation avec ses inquiétudes précédentes concernant le comportement de Jean. Elle a rassemblé des données pertinentes au cours de la journée et elle les analyse maintenant en cherchant des modèles qui se reproduisent et des relations entre les événements. Notez qu'elle se préoccupe non seulement du comportement de Jean mais aussi de ses propres sentiments et réactions. Résultat? Elle établit une relation entre ses réactions au retard de Jean et le comportement subséquent de celui-ci en classe.

Au *Stade 3,* nous commençons à faire des généralisations fondées sur notre analyse, habituellement sous la forme de concepts ou de principes qui nous font comprendre ce qui se passe de façon plus abstraite.

EXEMPLE, STADE 3: Enseignant, mercredi soir

Jean est de mauvaise humeur lorsqu'il arrive en retard à l'école. Il veut attirer mon attention et celle de ses compagnons de classe pour se sentir traité comme un membre du groupe. Je réagis trop fortement à son besoin d'attention, ce qui affecte son comportement pour le reste de la journée.

Ici, l'enseignante réussit à articuler certaines généralisations concernant l'interaction entre elle et Jean qui vont bien au-delà de la situation spécifique de la journée. Sa compréhension du problème a été transformée: elle voyait d'abord Jean interagir de mauvaise façon avec ses compagnons de classe; voici qu'elle voit maintenant que Jean cherche à satisfaire son besoin de se sentir membre de son groupe. En fait, elle a développé une hypothèse au sujet de ses interactions avec Jean qui lui permet d'énoncer une proposition du type «si... alors»: «Si je réponds de manière négative à Jean lorsqu'il arrive en retard, il continue ensuite à vouloir attirer l'attention de façon négative.»

Au *Stade 4,* nous utilisons les principes et concepts développés au *Stade 3* pour créer une théorie relative à ce qui peut survenir si on apporte un changement à la situation. À ce stade, nous pouvons également reconnaître qu'on a besoin de plus amples informations pour nous aider à mieux comprendre la situation, ce qui nous amène à des questions pour la prochaine ronde d'observation.

EXEMPLE, STADE 4: Enseignant, jeudi matin

Je vais essayer quelque chose de différent avec Jean aujourd'hui. Si je l'accueille à son arrivée de façon positive, et si je m'assure qu'il sait ce que j'attends de lui au cours de la première période, peut-être se calmera-t-il plus rapidement. Je vais aussi essayer de savoir pourquoi il arrive si souvent en retard. Quelque chose qui le dérange se passe peut-être à la maison ou sur le chemin de l'école.

La théorie personnelle que développe l'enseignante pour changer le comportement de Jean la mène à un plan d'action pour la journée. En revenant au *Stade 1*, elle se donne également pour tâche de recueillir de nouvelles observations, ce qui peut conduire à de nouvelles données sujettes à des démarche réflexives additionnelles.

LE PRATICIEN RÉFLEXIF

Les enseignants sont continuellement sollicités par la prise de décisions puisqu'ils gèrent l'environnement de l'apprentissage, qu'ils répondent aux besoins individuels, et expérimentent de nouvelles et de meilleures façons de favoriser l'apprentissage. Dans l'exemple précédent, on a vu que l'habileté à répondre de façon flexible est une caractéristique importante de l'enseignement efficace. Dans les travaux de Donald Schon[1] et de ses collaborateurs, on soutient que les enseignants expérimentés et compétents s'engagent fréquemment dans une démarche réflexive sur leur enseignement; cela leur permet de répondre de multiples façons à des situations non familières ou problématiques. Deux niveaux d'activité réflexive semblent caractériser ces professionnels. On identifie souvent le premier niveau comme celui de la *démarche réflexive en cours d'action*, consistant à «penser en agissant». Cependant, ceci constitue un processus qui peut comporter plus qu'une simple réponse immédiate à un événement en particulier; dans une situation donnée, cette démarche réflexive peut se prolonger au cours de toute une série d'interactions qui peuvent durer plusieurs jours ou plusieurs semaines, comme dans l'exemple précédent. Le deuxième niveau, qu'on appelle *démarche réflexive sur l'action*, sous-entend une démarche plus minutieuse, délibérément soignée, portant sur des sujets beaucoup plus vastes de nature professionnelle.

Réflexion en cours d'action

La recherche de Schon, conduite avec des professionnels venant de plusieurs secteurs, indique que les meilleurs praticiens ne se fient pas à des formules dans leur prise de décision; ils sont capables d'improviser des réponses dans des situations non familières. Cette sorte de pensée réflexive ne s'exprime pas habituellement de manière consciente, mais on peut l'observer dans les réponses que donnent ces professionnels dans des circonstances problématiques.

Des études portant sur des professionnels compétents, en action, ont démontré qu'ils ont tendance, dans des situations problématiques, à suivre des modèles similaires de réponse. Lorsqu'ils se voient confrontés à une situation pour laquelle le cours normal des opérations ne fonctionne pas, ces professionnels cherchent à discerner des variables qui pourraient les aider à saisir la nature du problème. En étudiant ces variables, ils identifient les facteurs auxquels ils doivent prêter attention, et définissent dans quel sens la situation doit être changée. On appelle ce processus «poser le problème[2]». Dans l'exemple cité plus haut, l'enseignante essaie de «poser le problème» au moment où elle recueille et analyse les données touchant le comportement de Jean en classe. Son analyse la mène à interpréter le problème comme un besoin qu'éprouve Jean de faire partie du groupe, plutôt qu'un problème de turbulence en classe.

Au lieu de classer chaque nouvelle situation comme une sorte de problème particulier et de lui appliquer une solution standard, le praticien réflexif définit chaque nouveau problème relativement aux similitudes et différences par rapport à l'expérience déjà vécue. Afin d'y parvenir, il puise dans son répertoire passé des exemples, des images, et la compréhension qu'il a de situations problématiques très variées. Comme le disait Schon, «l'art d'un praticien... tourne autour de l'étendue et de la variété du répertoire qu'il met en oeuvre dans des situations peu familières[3]». L'enseignante, dans notre exemple, a sans doute connu plusieurs autres situations dans lesquelles des enfants recherchaient l'attention de manière négative lorsqu'ils se sentaient mis de côté. Ici, vous pouvez probablement découvrir des similitudes entre l'analyse que Schon fait de l'art du praticien et la manière dont Nancy Hutchinson décrit les experts dans l'art de résoudre des problèmes, au chapitre 12 de *Devenir enseignant* (Tome I) .

Une fois que le problème a été posé, le praticien réflexif met en oeuvre une action expérimentale dans le but de changer la situation. L'enseignante de Jean a décidé de changer sa réaction négative en une réaction qui permettra au garçon de se sentir mieux accepté et plus en sécurité. En retour, elle espère qu'il aura moins besoin d'attention négative et se comportera de façon plus acceptable tout au cours du reste de la journée.

L'action expérimentale engendre une réponse à la situation qui permet au professionnel de juger de l'efficacité de son comportement. Parfois, la réponse à la situation mène à une redéfinition du problème, qui à son tour suggère d'autres actions expérimentales. Dans ce jeu d'interactions entre le praticien et la situation, le processus de démarche réflexive en cours d'action continue jusqu'à ce que le problème soit résolu ou qu'un nouveau problème soit défini.

Ce processus présente un plus grand défi pour les nouveaux enseignants parce qu'ils ne possèdent pas de répertoire d'expériences et de compréhension dans lequel ils puissent puiser lorsqu'ils font face à des situations peu familières. Leur banque d'expériences précédentes étant limitée, il leur est difficile d'identifier les variables importantes dans une situation, de définir un problème, ou de puiser à même une sélection de réponses déjà éprouvées qui pourraient être appliquées à une nouvelle expérience. En conséquence, les étudiants-maîtres rêvent de formules ou de règles qui les guideraient dans leur prise de décision. Malheureusement, des règles standard ne fonctionnent pas toujours dans les situations problématiques complexes qui font partie intégrante de l'enseignement.

Les étudiants-maîtres peuvent réduire le stress de l'incertitude et accroître leur flexibilité à répondre aux situations problématiques en pratiquant le processus de démarche réflexive tant à l'intérieur qu'à l'extérieur de la classe. De cette façon, ils se bâtiront un répertoire d'exemples, d'images et de compréhension dont ils ont besoin au cours de situations problématiques pour mener à bien une démarche réflexive en cours d'action réussie. Un tel répertoire ne se développe pas automatiquement en participant à un stage, mais requiert plutôt un travail actif de l'étudiant-maître dans la voie d'une transformation de l'expérience en compréhension, principes, et théories personnelles.

Réflexion sur l'action

Le processus réflexif devrait également nous amener au-delà du processus quotidien de résolution de problèmes. Dans son chapitre intitulé *En matière de valeur, pourquoi les enseignants devraient-ils penser comme des experts?* (Tome I), Don Cochrane met l'accent sur le fait que les professionnels se distinguent des techniciens en ceci que leurs attitudes envers les disciplines d'enseignement vont bien au-delà des compétences purement techniques. Le professionnel ne pense pas seulement aux façons d'enseigner efficacement mais aussi à ce qui devrait être enseigné et pour quelles raisons. De plus, le professionnel réfléchit sur le rôle que joue l'enseignant non seulement en classe mais aussi dans la société.

Les questions relatives aux valeurs en éducation, à la morale et à la culture devraient occuper une place importante dans les démarche réflexives des étudiants-maîtres. Ce sont des questions auxquelles il faut consacrer beaucoup de temps; il faut y prêter attention en dehors des heures de classe parce qu'elles exigent qu'on prenne un certain recul face à nos routines quotidiennes et qu'on s'engage dans des considérations méditatives. Prendre le temps qu'il faut et identifier les questions particulièrement appropriées pour la démarche réflexive: ce sont là des défis particuliers auxquels les étudiants-maîtres font face. Les activités suivantes que nous suggérons vous fournissent des stratégies qui devraient vous pousser à vous engager dans des situations de formation pratique, dans la démarche réflexive en cours d'action et la démarche réflexive sur l'action.

LE JOURNAL DE PRATIQUE PROFESSIONNELLE, UN OUTIL D'ACTIVITÉ RÉFLEXIVE

Un outil qui permet de pratiquer systématiquement la démarche réflexive au cours du stage d'enseignement est le journal de pratique professionnelle. Ce journal n'est pas un agenda, un livre de ressources ni une liste d'activités quotidiennes. C'est un carnet dans lequel vous décrivez vos expériences pratiques de façon réflexive, en suivant les quatre étapes de démarche la réflexive (voir la Figure 17-2).

Figure 17-2
Étapes de la démarche réflexive

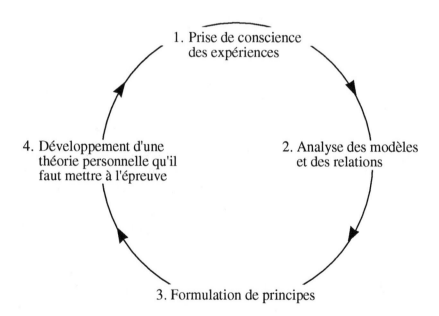

1. Prise de conscience des expériences
2. Analyse des modèles et des relations
3. Formulation de principes
4. Développement d'une théorie personnelle qu'il faut mettre à l'épreuve

Il existe plusieurs raisons pour lesquelles vous devriez tenir un journal de pratique professionnelle. Devant les pressions qu'exerce la période du stage d'enseignement, la tenue régulière d'un journal vous force à prendre le temps de ralentir et de penser. Le journal vous fournit une tribune libre qui permet de procéder au traitement de vos nombreuses expériences d'apprentissage, de sorte que la compréhension, les principes et vos théories personnelles puissent par là se développer. C'est le moment où l'on saisit des idées importantes qu'on oublierait autrement; c'est le lieu où consigner par écrit le développement de vos croyances et de vos valeurs au sujet de l'éducation. Ce journal devient l'occasion de consigner par écrit votre évolution continue; il reflétera vos inquiétudes et leurs transformations dans le temps, ainsi que le développement de vos idées et de votre confiance en vous-même. Finalement, le journal de pratique professionnelle peut être une source d'inspiration et de fierté, où on enregistre ses succès et, souvent, où des problèmes difficiles sont résolus en écrivant.

Plusieurs étudiants croient que l'idée de tenir un journal produit de l'anxiété et de l'appréhension; certains disent même «Je ne peux pas écrire; cela ne convient pas à mon style de pensée.» Il est vrai que certains préfèrent différentes modalités pour traiter de leur expérience; cependant, la tenue d'un journal fournit un moyen et une structure permettant de pratiquer consciencieusement le processus de la démarche réflexive. Au cours des prochaines pages, je vais suggérer des exercices spécifiques qui, pour la plupart des étudiants, rendent la tenue d'un journal plus facile. Mais d'abord, je vais répondre à plusieurs questions que posent fréquemment les étudiants-maîtres au sujet de la mise en oeuvre d'un journal de pratique professionnelle.

1) **Quelle sorte de cahier devrais-je avoir en main pour tenir mon journal?** Le choix du cahier destiné au journal constitue une étape initiale sérieuse. De toute importance, le journal devrait être un livre que vous aimez et que vous aimerez posséder. Cependant, je ne suggère pas l'utilisation d'une reliure de feuilles mobiles parce que des feuilles détachées n'encouragent pas l'engagement à l'écrire autant

qu'un cahier relié. Il est trop facile, avec une reliure à anneau, de nier une idée ou un problème lorsqu'il ne semble pas tout à fait correct sur papier, puisque les pages peuvent être facilement retirées.

2) **Quand et où devrais-je écrire?** Trouver le temps idéal pour réfléchir est un choix individuel qui dépend de votre style de vie, de rythmes personnels et des exigences de votre horaire. Peu importe les heures que vous choisissez, il est important d'identifier une période de temps régulière et un endroit tranquille où vous pouvez vous concentrer à l'abri des distractions. Vous devrez peut-être vous lever le matin avant le reste de la famille, ou vous isoler dans une pièce tranquille au cours de la journée ou de la soirée. Si vous vous êtes familiarisé avec la relaxation progressive ou d'autres techniques de méditation, vous pourrez les utiliser pour vous préparer, en prenant le temps d'éliminer les pensées distrayantes ou les stimuli externes.

3) **Comment vais-je commencer?** On peut comparer la tenue d'un journal à la natation. Il est plus facile de sauter à l'eau que de se tenir sur le bord de l'eau en regardant, tout en mettant un orteil à l'eau de temps à autre. Si vous avez de la difficulté à vous y mettre, souvenez-vous que vous n'écrivez que pour vous, de sorte que ce que vous écrivez devrait avoir de l'importance pour vous. Vous pourriez commencer en vous posant des questions stimulantes telles que: «Quelle est la chose la plus significative qui me soit arrivée aujourd'hui? Comment me suis-je senti? Pourquoi était-ce important pour moi?» Puis, écrivez comme si vous aviez une conversation avec vous-même, ou avec un bon ami. N'essayez pas d'être trop analytique avant d'avoir décrit les détails d'un événement. Puis, relisez ce que vous avez écrit et prenez le temps de penser.

4) **Quel style devrais-je employer?** Le journal de pratique professionnelle est un document privé. Afin de pouvoir retirer le maximum de démarche réflexive de vos expériences, vous devriez être capable d'écrire librement et honnêtement. La structure des phrases, la grammaire, la ponctuation ou même la suite des idées sont moins importantes que le contenu de vos démarches réflexives. Je vous suggère même de ne pas vous limiter à l'écriture. Plusieurs étudiants-maîtres trouvent plus facile de débuter une entrée de journal avec un dessin qui dépeint une expérience de manière symbolique. Dans les périodes d'émotions fortes, des mots jetés au hasard sur la page représentent un bon point de départ. Parfois, l'intensité d'une expérience peut même mener à la poésie. Plus tard, au cours de l'étape de l'analyse, un diagramme peut devenir approprié.

5) **Dois-je écrire souvent dans mon journal?** La tenue régulière d'un journal est importante pour le développement d'habiletés de démarche réflexive; cela nécessite une pratique fréquente afin d'en retirer le maximum de profits. Une période de démarche réflexive quotidienne est idéale. Cependant, les nombreuses exigences de l'horaire d'un étudiant-maître peuvent rendre cette attente irréaliste. Il est important de se méfier des pensées négatives qui surviennent lorsque vous vous forcez à écrire alors que votre attention est ailleurs, ou de la culpabilité qui peut naître du fait que vous avez sauté une journée en raison de diverses pressions.

6) **Dois-je suivre les étapes de la démarche réflexive chaque fois que j'écris dans mon journal?** Comme dans tout modèle, les quatre étapes de la démarche réflexive simplifient et idéalisent ce qui fonctionne dans les situations de tous les jours. Parfois, une entrée entière de journal peut consister en la description d'une situation et l'exploration

de ce que l'on ressent. Ceci est particulière-ment vrai pour les situations problématiques qui peuvent comporter une forte réaction émotionnelle. Fréquemment, les sentiments associés à une expérience doivent être traités avant de procéder à l'analyse et au développement de la théorie. Ce processus peut parfois prendre des jours ou même des semaines. Le point important est de s'assurer qu'avec le temps vos épisodes de démarche réflexive ne soient pas limités à la description, mais comportent un examen critique de votre expérience et le développement de principes et de théories personnelles pouvant vous guider dans vos actions futures.

EXERCICES D'ÉCRITURE RÉFLEXIVE POUR LES ÉTUDIANTS-MAÎTRES

Les stratégies suivantes fournissent diverses approches relatives à l'écriture dans votre journal de pratique professionnelle. Chaque approche possède sa fonction particulière. Je crois que si vous essayez les exercices, vous développerez rapidement d'autres approches pour rédiger votre journal en respectant votre propre style et vos besoins particuliers.

Incidents critiques

Les recherches démontrent que l'apprentissage est habituellement plus puissant dans des situations où celui qui apprend est concerné au plan émotionnel. Au cours du stage, plusieurs situations vous inciteront à réagir de façon émotionnelle; particulièrement dans ces situations problématiques uniques qui provoquent le stress et la frustration. Bien que ces situations possèdent beaucoup de potentiel pour développer la compréhension de l'enseignement, les étudiants-maîtres, engagés dans le feu de l'action, n'ont ni le temps ni le recul nécessaire pour s'adonner à la pensée réflexive. Ces sortes d'incidents fournissent une cible idéale pour la tenue d'un journal.

EXERCICE 17.1

Pensez à un événement récent de votre vie d'étudiant-maître. Quel a été l'incident le plus emballant, le plus frustrant ou présentant le plus grand défi?

1. Décrivez les détails de l'incident et les sentiments que vous avez ressentis. Posez-vous les questions suivantes: «Qu'est-il vraiment arrivé? Pourquoi était-ce si important pour moi?»
2. Analysez l'incident relativement aux caractéristiques, aux interactions, aux modèles et relations significatives. Posez-vous les questions suivantes: «Quels étaient les éléments significatifs de cette situation? Comment la situation a-t-elle affecté mon comportement, mes sentiments et mes attitudes? Comment mon comportement a-t-il affecté la situation? En quoi cette situation ressemble-t-elle aux autres que j'avais déjà expérimentées?»
3. Développez un énoncé de principes décrivant ce que vous avez appris de cet incident. Posez-vous les questions suivantes: «Comment cet incident m'affecte-t-il? Qu'est-ce que je sais maintenant que je ne savais pas déjà?»
4. Pensez à l'avenir. Posez-vous la question suivante: «Comment vais-je appliquer à une autre situation ce que j'ai appris?»
5. Pensez à ce que vous avez appris en rapport avec vos croyances et vos valeurs. Posez-vous la question suivante: «Cet incident a-t-il affecté mes croyances, mes valeurs ou la façon dont je me perçois et celle dont je perçois les autres?»

Résumés réflexifs

Il est parfois utile de relire son journal de pratique professionnelle et de réfléchir sur sa propre évolution avec le temps. Le résumé réflexif peut être un exercice d'auto-évaluation globale, ou une révision de l'apprentissage vécu à travers une série d'expériences. Voici un exemple écrit par un étudiant-maître après une semaine de stage:

La première semaine, mon journal m'a projeté à l'extérieur de mon monde de livres de classe et d'examens et dans un nuage de pensée. Là, j'ai ramassé toutes mes expériences et je suis maintenant prêt à embarquer dans le voyage qu'est l'enseignement, un voyage dont j'attends le commencement depuis des années. La route dépasse de loin l'école, et mes buts sont encore flous et indéfinis. Qu'est-ce qu'un bon enseignant? Quelle est la «meilleure» façon d'enseigner? Mes idées seront-elles utiles? La réponse à ces questions ne se trouvera pas dans mes lectures obligatoires de la revue *Educational Psychology* ou dans les exercices d'orientation mais dans les expériences qui m'attendent. Quoi qu'il en soit, mes premiers pas dans la définition de l'enseignement m'ont révélé les trois mots suivants: cohérent, original et honnête. Je vais les garder en mémoire.

Un résumé réflexif peut également vous donner l'occasion de penser à votre développement global en tant qu'étudiant-maître. Une façon de faire consiste à examiner vos entrées dans votre journal passé en les faisant correspondre aux étapes communément reconnues d'inquiétude des étudiants-maîtres, comme celles que décrit Alan Wheeler dans le chapitre *La croissance professionnelle vue à travers des manifestations d'inquiétude*. La plupart des étudiants-maîtres commencent leur stage avec des inquiétudes concernant leur rôle comme enseignant, inquiétudes typiquement présentes dans des questions telles que: «À quoi ressemble vraiment l'enseignement? Pourrai-je être un bon enseignant? Pourrai-je répondre aux attentes de mes superviseurs?» Ces inquiétudes s'accompagnent souvent d'une vue idéaliste de l'enseignement et sont l'indice de hauts niveaux d'anxiété concernant le stage d'enseignement. Une fois que l'étudiant-maître est confronté aux réalités de la planification et de l'enseignement, ses inquiétudes se déplacent pour se centrer sur sa survie: «Vais-je être capable de passer à travers la leçon? Et si je perds le contrôle de la classe? Vais-je pouvoir survivre toute la journée sans qu'un désastre ne survienne?» Si l'étudiant remporte des succès à cette étape, ses sujets d'inquiétude se déplacent alors vers la conduite d'une leçon: «Quelle est la meilleure façon d'introduire ma section sur la géographie? Comment puis-je améliorer mes stratégies de questionnement?» etc. Finalement, au fur et à mesure que ses habiletés sont maîtrisées et que sa confiance augmente, l'étudiant peut se concentrer sur les élèves: «Comment puis-je aider Josée à comprendre ce concept mathématique? Pourquoi François menace-t-il de quitter l'école?»

EXERCICE 17.2

Résumé réflexif

Pensez aux inquiétudes que vous avez éprouvées au cours des derniers mois concernant l'enseignement. Écrivez sur chacune des questions suivantes:

1. Comment vos inquiétudes ont-elles changé avec le temps? Pourquoi ont-elles changé? Vos inquiétudes passées ont-elles été résolues? Voyez-vous une évolution personnelle dans le changement des inquiétudes?
2. Quels thèmes pouvez-vous identifier dans vos entrées de journal? Quelles questions vous êtes-vous posées? Lesquelles correspondent à des questions de valeur? À quelles questions avez-vous répondu de façon satisfaisante? Quelles questions demeurent sans réponse?
3. Actuellement, quelle est votre préoccupation majeure dans le domaine de votre évolution professionnelle? Quels sont vos objectifs dans ce secteur? Que ferez-vous pour améliorer ce secteur? Comment saurez-vous que vous progressez en direction de vos objectifs?

Sources de fierté

Au cours de votre stage d'enseignement, cette stratégie peut être particulièrement utile pour vous aider à donner de la perspective à vos expériences. La plupart des gens, spécialement les enseignants, ont tendance à se préoccuper de ce qui ne va pas bien dans leur vie professionnelle. Dans des situations comme celle du stage où l'auto-évaluation et l'amélioration continuelle sont de toute première importance, nous avons tendance, nous les enseignants, à fixer notre attention sur ce qui est problématique. Avec une telle «approche déficiente», notre énergie peut se drainer et le sens de notre réussite être faussé par notre centration sur les aspects négatifs de notre expérience. À titre d'antidote, je suggère qu'une section spéciale de votre journal soit réservée à vos succès, à vos réalisations et à vos sources de fierté. Chaque jour, peu importe que vous fassiez d'autres entrées dans le journal ou non, essayez de consigner par écrit au moins un point dans cette section. Votre note peut rappeler seulement un petit événement où vous avez aidé un enfant à bien se sentir, une découverte majeure dans votre enseignement, ou tout simplement une sensation de bien-être à un moment où tout va bien. En retournant à cette section, vous découvrirez que même les jours les plus noirs de votre stage d'enseignement peuvent être illuminés. Vous trouverez là la preuve que de meilleurs moments l'ont emporté, et que d'autres l'emporteront encore à nouveau.

AU-DELÀ DU JOURNAL DE PRATIQUE PROFESSIONNELLE

Dans ce chapitre, on a voulu vous fournir des outils pratiques et spécifiques pour vous aider à développer vos habiletés de praticien réflexif. On s'est centré sur un modèle de processus de démarche réflexive, sur la description de la démarche réflexive *en cours* d'action et sur la démarche réflexive *sur* l'action, et sur l'utilisation d'un journal de pratique professionnelle comme outil de démarche réflexive.

Tenir un journal n'est qu'une façon parmi d'autres d'exercer vos habiletés de démarche réflexive. Plusieurs autres restent à explorer. Certaines personnes réfléchissent en joggant. D'autres pratiquent le yoga et des méditations transcendantales. D'autres enfin, comme Einstein, s'assoient tranquillement devant un feu en se perdant dans leurs pensées, cherchant à développer des théories pour changer le monde.

Peu importe l'approche qui vous convient le plus, je crois que la pratique du processus de démarche réflexive vous conduira sûrement à de plus grands succès et à une plus grande satisfaction professionnelle.

Notes

1. Schon, Donald A. (1983). *The Reflective Practitioner*. New York: Basic Books.
2. *Ibid.*, pp. 40-41.
3. *Ibid.*, p. 140.

Chapitre 18

L'ÉVALUATION DE L'ÉTUDIANT EN STAGE D'ENSEIGNEMENT

Robert Nicholas Bérard

ROBERT NICHOLAS BÉRARD *est professeur associé et coordonnateur du programme d'études avancées en éducation à l'Université Dalhousie. Ancien enseignant du secondaire et coordonnateur du programme de baccalauréat en éducation à Dalhousie, le docteur Bérard dispense des cours de méthodologie et supervise la formation des maîtres en études sociales au secondaire. Il est membre du International Advisory Board of the Society for History Education et a publié de nombreux articles sur l'histoire et l'enseignement de l'histoire. Ses recherches actuelles en éducation comprennent une étude sur la pratique de l'enseignement à l'extérieur du système scolaire public régulier.*

Chaque programme de formation des maîtres réserve une place à l'évaluation du travail pratique des étudiants-maîtres dans leur champ d'expérience; cependant, plus que tout autre, cet aspect de la formation de l'enseignant est de loin le plus controversé, le plus problématique ou le plus stressant de tous ceux que comprend cette formation. Des étudiants qui se sont montrés habiles et confiants au cours de leur travail universitaire deviennent souvent nerveux et insécurisés lorsqu'ils se voient observés en classe durant l'évaluation de leur stage. Les superviseurs et les maîtres-hôtes se plaignent fréquemment de la difficulté d'évaluer les étudiants-maîtres et ne cachent pas leur crainte que la nécessité d'effectuer une telle évaluation ne leur nuise finalement, compte tenu de leur rôle de guides, de soutiens et de confidents. Il serait peut-être utile d'examiner pourquoi nous évaluons la formation des futurs maîtres, comment de telles évaluations sont effectuées, et comment les étudiants-maîtres pourraient mieux se préparer à faire face au processus de l'évaluation.

POURQUOI ÉVALUER?

Un moment de réflexion nous rappellera que l'évaluation fait partie intégrante de la vie humaine. Nous sommes constamment engagés dans un processus d'évaluation du monde qui nous entoure. Plus précisément, depuis notre premier jour de classe au primaire, en première année, nous évaluons nos enseignants en nous demandant pourquoi ils agissent de la façon dont ils le font, pourquoi ils expriment leur satisfaction ou leur déception au sujet des devoirs, des examens et des méthodes qu'ils emploient; et même, on les classe par ordre de préférence. Soyez assuré que vos élèves se livreront exactement au même exercice.

Cependant, l'évaluation conduite, soit séparément soit conjointement par le maître-hôte et le superviseur de l'université, représente un sujet d'inquiétude beaucoup plus grand pour l'étudiant-maître. Bien que le processus soit plus ou moins poussé ou plus ou moins spécifique selon les différentes institutions, il est universel. Lorsqu'ils parlent d'évaluation, la plupart des étudiants-maîtres sont portés à penser à la note finale ou à des jugements qui seront inscrits dans leur dossier permanent, mais nous devrions nous rappeler que l'évaluation poursuit plusieurs objectifs. La plupart des institutions de formation des maîtres évaluent pour des raisons liées à des apprentissages en cours de formation (évaluation formative) et des apprentissages acquis au terme de la formation (évaluation sommative).

Les évaluations formatives sont peut-être les plus utiles pour l'étudiant-maître et les plus satisfaisantes pour le superviseur. Les étudiants-maîtres veulent sûrement savoir, de préférence de la part d'observateurs entraînés et expérimentés, à quel point ils traitent efficacement différents aspects de leur enseignement et comment ils pourraient varier ou améliorer leurs méthodes d'enseignement. Le superviseur est d'abord un enseignant ou un accompagnateur qui cherche à aider les étudiants-maîtres à développer leurs capacités professionnelles. C'est le rôle du superviseur de reconnaître et de faire l'éloge des situations d'enseignement efficaces, des leçons bien planifiées et exécutées, du traitement d'interactions humaines difficiles, etc. Son rôle comporte également le fait de donner des conseils et de fournir une aide sur la façon de changer les approches qui semblent inefficaces et qui sont peut-être inappropriées dans un contexte particulier. Une telle évaluation formative est utile. S'il n'y avait pas d'évaluation, les étudiants en éducation demanderaient avec raison à leur université de mettre en place un tel exercice.

L'évaluation sommative, tout en se différenciant et en étant liée à cette évaluation formative, consiste en une évaluation d'ensemble; elle représente un jugement sur la qualité globale de l'enseignement dont a fait preuve l'étudiant-maître au cours de son stage d'enseignement. D'une certaine manière, des jugements d'ensemble sont implicites dans les conseils donnés durant l'évaluation formative; mais une évaluation globale de la performance est utile pour aider l'étudiant-maître à décider s'il poursuivra une carrière enseignante, à quel niveau scolaire ou dans quel domaine d'enseignement. Les évaluations cumulatives peuvent s'exprimer sous forme d'une simple notation de réussite ou d'échec, de notation littérale, ou par des notes en pourcentage. Ces résultats peuvent se voir accompagner de remarques écrites plus ou moins détaillées. Dans plusieurs universités, le stage pratique d'enseignement est un cours crédité, sujet aux mêmes procédures d'évaluation et règlements qu'on applique aux autres cours. Les autorités de l'université tiennent à vérifier elles-mêmes que des standards d'excellence ont été appliqués aux étudiants qui complètent leurs programmes, qu'ils ont été évalués et méritent les crédits qui leur sont octroyés et que des observateurs externes puissent procéder à ces vérifications. À tort ou à raison, le public demande aux universités d'évaluer les étudiants de cette façon, tout comme d'ailleurs la plupart des étudiants.

De plus, puisque le baccalauréat en éducation est un diplôme professionnel et une condition préalable à la maîtrise et à l'embauche dans la plupart des institutions d'enseignement, la certification par le ministère de l'Éducation et le personnel scolaire chargé du recrutement de nouveaux enseignants s'attendent aux évaluations lors de la formation des maîtres. Oeuvrer en éducation n'est pas sans représenter certains risques, et les responsables de la protection du bien-être de la jeunesse veulent être assurés que ceux qui se présentent comme enseignants – non moins que ceux qui espèrent devenir des professionnels de la santé – ont passé par une période d'expérience pratique supervisée et évaluée. De plus, la période des stages dans la formation des maîtres, plus que tout autre aspect du programme de formation, est considérée de toute façon et à bon droit comme le gage du succès futur de l'enseignant le plus important et le plus fiable[1]. La plupart des commissions scolaires publiques et des écoles privées ont également adopté des politiques de supervision et d'évaluation des enseignants permanents; et elles examinent soigneusement les évaluations de stage de ceux qui y postulent un emploi. Nous devrions également nous souvenir que la précision, la spécificité et la crédibilité des évaluations des étudiants-maîtres faites à l'université jouent souvent un rôle important dans l'établissement de la crédibilité des diplômés de cette institution et de leurs références sur le marché du travail.

Les étudiants-maîtres eux-mêmes, tout comme leurs formateurs ou leurs futurs employeurs, veulent savoir comment ils se comparent à leurs contemporains et à ceux qui les ont précédés. Comme nous portons tout naturellement des jugements d'ensemble sur nos enseignants et nos professeurs, nous devons nous attendre à de tels jugements sur notre propre performance. Le malaise qu'expriment plusieurs étudiants-maîtres sur l'évaluation ne concerne pas tant la nécessité ou le désir d'être évalué, mais plutôt les moyens qu'on utilise pour ce faire ou les personnes qui s'en chargent, la forme qui exprime cette évaluation et l'utilisation qu'on en fera. Attardons-nous donc aux moyens d'évaluer l'étudiant en stage d'enseignement.

COMMENT ÉVALUONS-NOUS L'ÉTUDIANT EN SITUATION DE STAGE D'ENSEIGNEMENT?

L'évaluation du stage d'enseignement diffère, en pratique, souvent de façon importante, d'une université à l'autre. Alors que plusieurs universités adoptent des formulaires d'évaluation, des procédures et des directives uniformes pour les superviseurs, d'autres confient au superviseur la tâche de planifier ses propres procédures et instruments d'évaluation, qu'il soumet, bien sûr, à l'approbation des directeurs de programme. Dans la formation actuelle des maîtres, il existe une grande variété de philosophies au sujet de l'évaluation. Il n'est donc pas surprenant que cette diversité se reflète dans les procédures qu'utilisent les différentes institutions à travers le pays.

Un exemple de diversité tourne autour du débat relatif au nombre de personnes qui devraient participer à la supervision et à l'évaluation des étudiants-maîtres, quelles devraient être ces personnes, et si elles devraient ou non en arriver à une évaluation collective. Certaines universités insistent pour que chaque étudiant-maître soit supervisé par deux représentants universitaires ou plus; d'autres, au contraire, assignent un seul superviseur aux étudiants, en leur offrant à chacun, étudiant et superviseur, l'option d'obtenir éventuellement une seconde ou une troisième opinion. La première approche se fonde sur la croyance que la valeur de toute évaluation augmente en raison de la multiplication des rapports, alors que la seconde découle de l'inquiétude que des conseils et des directions contradictoires n'en viennent à dérouter les étudiants-maîtres; on opte alors pour que le processus de supervision soit confié à une seule personne. On confie la supervision des étudiants-maîtres à des superviseurs de l'université qui en font leur unique responsabilité; cela est offert à tous ou à la plupart des professeurs des sciences de l'éducation – peut-être sur une base de rotation – quelle que soit leur spécialité; dans de plus petits programmes, cette responsabilité est confiée aux professeurs des sciences de l'éducation, responsables des cours relatifs aux méthodes d'enseignement. La plupart du temps, il existe à l'université des professeurs à temps plein qui ont fait de la supervision et de l'évaluation de la formation des maîtres un des secteurs de leur spécialité. Dans certains cas, cependant, la tâche est confiée en supplément à des employés de l'université, peu occupés, sans tenir compte de leurs qualifications dans ce secteur, ou au personnel adjoint à temps partiel, qu'on recrute soit parmi les enseignants retraités, soit parmi les étudiants de deuxième cycle. Dans bon nombre d'universités américaines, la supervision des étudiants-maîtres qui enseignent des matières particulières au niveau du secondaire est attribuée à des professeurs d'université qui dispensent ces disciplines respectives et qui eux-mêmes n'ont peut-être jamais eu l'expérience de former des maîtres.[2]

De même, le personnel scolaire peut être appelé à jouer un rôle dans l'évaluation de l'étudiant-maître. La plupart du temps, un seul maître-hôte est entièrement responsable de la supervision de chaque étudiant, mais certains étudiants-maîtres, particulièrement dans les petites écoles, se voient confiés à un groupe de maîtres-hôtes; certaines institutions imposent ou exigent, dans le processus d'évaluation, la participation du directeur ou d'un des administrateurs de l'école.

En règle générale, la décision touchant le choix des maîtres-hôtes se prend habituellement sur une base d'entente entre l'université et la commission scolaire. Certains directeurs croient qu'assigner une classe à des étudiants-maîtres relève de leur seule prérogative. Dans ces cas, l'université demande un certain nombre de places et certains types de classe, mais ne peut décider quels enseignants seront choisis comme maîtres-hôtes ou avec quels enseignants les étudiants travailleront. Si ces décisions sont plutôt prises en fonction des politiques internes de l'école, la supervision de l'étudiant-maître sera peut-être insatisfaisante et l'évaluation sujette à la critique. Dans certains secteurs, le maître-hôte est rémunéré par l'université pour son travail de supervision alors que dans d'autres secteurs la supervision des étudiants-maîtres est reconnue comme faisant partie des tâches professionnelles quotidiennes de l'enseignant et n'est pas rémunérée.

Vos évaluations tant formatives que cumulatives comprendront l'une ou l'autre personne mentionnées ci-haut et peuvent ou non inclure un processus formel d'auto-évaluation. Lorsqu'un simple système réussite-échec est employé pour l'évaluation cumulative, un accord entre le maître-hôte et le superviseur de l'université est habituellement nécessaire. Dans les institutions où des notes sont accordées, la responsabilité de la détermination de la note peut revenir entièrement au superviseur de l'université ou être partagée, selon une formule établie, avec le maître-hôte. Les règlements universitaires traditionnels et même la législation provinciale peuvent influencer le choix du système d'évaluation employé dans votre programme.

Les évaluations formatives relèvent aussi d'une responsabilité partagée, bien qu'elles soient souvent effectuées par les divers responsables. Une des objections les plus communément soulevées par les étudiants-maîtres concerne les conflits et contradictions qu'ils perçoivent dans les messages formatifs provenant des différents superviseurs. Un superviseur conseille «plus de notes, plus d'exercices!» alors qu'un autre dira «plus de lecture indépendante et de questions!» Un examen et une réflexion plus approfondis de tels conflits révèlent qu'il ne s'agit là, le plus souvent, que de contradictions plus apparentes que réelles, mais il est vrai qu'ils surviennent, spécialement lorsque l'université n'a pas réussi de façon satisfaisante à assurer la coordination entre le superviseur, l'étudiant-maître et le maître-hôte. D'heureuses solutions ne sont pas toujours possibles, mais les étudiants-maîtres peuvent espérer que les responsables des stages à l'université y prêteront une oreille attentive et accueillante.

Non seulement votre évaluation peut concerner différentes personnes, elle peut également être fondée sur un ensemble de critères, de moyens et de mesures différents. Un chercheur a défini au moins huit approches différentes dans l'évaluation de la performance en éducation: depuis des études hautement quantitatives sur les résultats des étudiants à des tests standardisés jusqu'aux méthodes plus qualitatives d'évaluation comme le sont les études de cas[3]. Deux grandes approches en évaluation sont communes aux programmes de formation des maîtres à travers le pays. La première correspond à un modèle fondé sur des objectifs, où un ensemble d'objectifs spécifiques de comportement ou de performance sont identifiés pour ou avec l'étudiant-maître; la mesure de la performance se fonde sur le degré d'atteinte de ces objectifs[4]. La seconde approche, c'est celle de la critique de l'art d'enseigner, expliquée au cours des années par Elliot Eisner et ses disciples. Elle place moins l'accent sur des objectifs prédéfinis, qu'elle considère plus comme un obstacle que comme une aide au processus de supervision et d'évaluation[5]. Les évaluateurs tentent plutôt de noter des observations de la classe avec l'oeil du critique, en se centrant sur la performance de l'étudiant-maître telle qu'elle s'est produite dans tel contexte donné plutôt que celle qui devrait se faire dans une situation idéale. L'évaluation des points forts et des faiblesses des actions de l'enseignant dans une situation spécifique est alors effectuée. Les divers processus d'évaluation des étudiants-maîtres ont tendance à se situer sur un continuum entre ces deux modèles, alors que les différentes institutions tentent de déterminer la meilleure dose de données quantitatives et qualitatives et d'établir des critères acceptables et fiables pour évaluer la performance des étudiants au cours de leur stage. Tout dépend finalement de la façon dont vos superviseurs considèrent l'éducation, soit comme un métier (comme dans le modèle de l'École normale), soit comme une science comprenant des tâches mesurables de manière spécifique, ou encore comme un art où l'on peut s'exprimer de façon presque illimitée, ce qui, pour l'évaluation, demande une approche plus ouverte.

Ceux qui défendent l'approche fondée sur des objectifs lorgnent du côté de la recherche; celle-ci semble suggérer que certains comportements enseignants identifiables sont reliés à un plus haut niveau de réussite[6]. Ses supporteurs se rallient à l'idée que certains considèrent comme discutable, à savoir que rehausser le rendement de l'étudiant – tel que cela est défini par les différents tests et objectifs de réussite du système scolaire – représente l'objectif principal de l'enseignement et le meilleur critère permettant de mesurer la qualité du travail d'un enseignant[7]. Il est certain que plusieurs départements gouvernementaux ont été attirés par les listes de compétences enseignantes de base qui proviennent du modèle fondé sur les objectifs[8]. Vos formulaires d'évaluation peuvent refléter certaines ou toutes ces compétences: organisation; clarté; flexibilité et variabilité; enthousiasme; enseignement orienté vers des tâches comme dans le monde des affaires; utiliser les idées des élèves; employer la critique positive, etc. De plus, les maîtres-hôtes en sont venus à exiger certaines compétences qui semblent raisonnables et pratiques, qu'elles soient clairement reliées à la performance de l'étudiant ou non, telles que l'habileté de maintenir l'ordre et la discipline dans la classe, planifier en fonction des différences individuelles ou maintenir de bonnes relations avec les enfants[9]. Les formulaires d'évaluation des universités incorporent fréquemment ces attentes, et même lorsqu'elles ne le font pas, il est probable que les maîtres-hôtes et les superviseurs les commenteront.

Selon la philosophie de votre institution ou des demandes provenant des autorités provinciales au sujet de la certification, ces différentes compétences peuvent apparaître sous la forme d'une liste; ou encore, les étudiants peuvent être notés sur chacune d'elles suivant une échelle graduée. Des valeurs mathématiques peuvent être attachées à chacune, et votre note refléterait directement votre maîtrise de ces habiletés particulières. Par contre, même les institutions qui se concentrent clairement sur la maîtrise des compétences spécifiques d'enseignement demandent souvent aux superviseurs de l'université et aux maîtres-hôtes de ne faire que de courts commentaires sur chacune avant de faire une évaluation globale de la performance totale de l'étudiant-maître.

Les critiques de ce modèle soulignent que la recherche sur laquelle il est fondé «n'a mené à... aucun ensemble de critères défendables et utilisables sur l'efficacité de l'enseignant[10]». Plus significative encore, la critique de Eisner porte sur ce qu'il appelle les faussetés de la «supervision scientifique», incluant par exemple le fait de donner une égale valeur à toutes sortes de comportements enseignants et d'attacher des étiquettes positives et négatives à différentes méthodes d'enseignement. Par exemple, un cours magistral sera considéré comme moins efficace qu'une discussion, peu importe le calibre du cours ou le niveau de la discussion[11]. De plus, les procédures d'évaluation fondées sur des *principes quantitatifs purement additifs* ignorent la possibilité que les points forts d'un enseignant peuvent sous certains aspects dépasser ses faiblesses reconnues sous d'autres aspects. Finalement, Eisner croit que nos méthodes d'observation des compétences présélectionnées ont tendance à cacher la totalité de la vie de l'école dans laquelle la formation des maîtres prend place[12].

Lorsque le modèle de la critique de l'art prédomine, on s'attend à ce que les évaluateurs soient, pour utiliser les termes de Eisner, «connaisseurs» du bon enseignement[13], des personnes qui, en étudiant et en s'appliquant à la tâche, ont développé des «formes de conscience» additionnelles et l'habileté à reconnaître le «rendement comme un tout» dans son contexte spécifique[14]. On leur demande d'«assister aux événements qui prennent place», d'enregistrer leurs «impressions clairement et de façon convaincante» et de faire appel à leurs «pouvoirs bien exercés à porter des jugements» pour traiter de ce qui se passe en classe[15]. De telles évaluations exigent une plus grande précision de langage de la part de l'évaluateur; de par leur ouverture, elles exigent que l'évaluateur soit capable de relier clairement sa critique évaluatrice à la note ou à tout autre évaluation d'ensemble de l'étudiant-maître.

Les critiques de cette approche s'inquiètent de son ouverture à la subjectivité; ils craignent qu'elle passe outre au caractère global et systématique de l'évaluation orientée par des objectifs[16]. Ses défenseurs insistent sur le fait que le modèle de l'art critique est l'approximation la plus juste des réalités de l'expérience enseignante. En pratique, la plupart des institutions qui emploient l'évaluation fondée sur les objectifs donnent au moins à leurs superviseurs une certaine latitude dans leurs réflexions critiques. Ceux qui favorisent le modèle de l'art critique structurent fréquemment leurs observations de façon à inclure des commentaires, lorsqu'ils sont pertinents, sur ce qui constitue généralement des secteurs critiques du comportement enseignant. De cette façon, ils évitent les évaluations qui pourraient ressembler à une série d'observations dispersées, non reliées entre elles, telles celles qu'on lit fréquemment dans les pauvres revues de presse au sujet des films ou du théâtre.

Il est fort probable que les deux modèles continueront de prévaloir dans le secteur, bien que les deux aient été critiqués par les étudiants et les chercheurs. Certaines recherches concluent que les deux approches à l'observation dans la classe présentent de sérieux problèmes parce que les préjugés interfèrent avec la préparation d'évaluations valides. Par exemple, on a déjà prétendu qu'il est plus probable que les jolies étudiantes obtiendront de meilleures notes que les étudiants au cours du stage[17]. On a déjà écrit que, même si les préjugés envers un étudiant particulier étaient contrôlés, la perception du monde du superviseur s'introduit de façon insidieuse précisément au moment où il croit faire son évaluation avec objectivité[18]. En effet, c'est peut-être dans les modèles d'évaluation les plus «scientifiques» que les points de vue personnels ou subjectifs sur ce que constituent l'organisation, l'enthousiasme, les bonnes relations avec les étudiants, la connaissance du sujet, etc. sont les plus problématiques. D'autres chercheurs s'inquiètent à l'effet que l'évaluation uniquement fondée sur le travail en classe ne mette en évidence qu'un seul aspect du travail de l'enseignant. Ils soutiennent que la préparation du matériel d'enseignement, les tests, les devoirs, la notation effectuée par l'étudiant-maître et d'autres faits moins apparents devraient être jugés aussi importants, sinon plus, que la performance de l'étudiant-maître devant la classe pendant que son superviseur l'observe[19].

115

SE PRÉPARER À L'ÉVALUATION

La discussion précédente peut sembler déprimante à certains. Il est clair que l'évaluation de l'étudiant-maître en situation de formation pratique n'est pas simple et qu'un accord unanime concernant les objectifs et les méthodes d'une telle évaluation n'existe tout simplement pas[20]. Quoiqu'il en soit, à un certain moment de votre programme de formation des maîtres, votre travail pratique en enseignement sera évalué. Les résultats de cette évaluation peuvent avoir une influence sur votre décision de continuer vos études en éducation et peuvent affecter vos chances d'obtenir un poste d'enseignant après la fin de vos études. Bien que les commissions scolaires n'examinent pas seulement les résultats d'évaluation avant de prendre la décision d'embaucher, il ne faut pas sous-estimer l'importance de ces évaluations. Comment dès lors devriez-vous vous préparer au processus d'évaluation?

Premièrement, familiarisez-vous avec les procédures d'évaluation mises en place dans votre institution et avec la philosophie d'évaluation qui les sous-tend. Discutez avec vos superviseurs et vos maîtres-hôtes de leurs approches en évaluation, de leurs attentes et de leur compréhension de votre rôle dans le processus d'évaluation. Dans la plupart des cas, votre participation sera la bienvenue, et les superviseurs voudront vous préparer un horaire pour l'observation, les commentaires et la réflexion qui rendra la plus juste possible l'évaluation de votre enseignement. Si vous connaissez bien le processus d'évaluation et si vous y participez activement, vous aiderez les superviseurs à procéder effectivement et efficacement. Vous éliminerez les craintes et les conceptions erronées qui tourmentent souvent les étudiants-maîtres lorsqu'ils sont sur le point d'être évalués, ce qui affaiblit leur performance en classe. De plus, la coopération avec ceux qui sont expérimentés en évaluation de l'enseignement peut contribuer à rehausser vos propres habiletés d'auto-évaluation.

EXERCICE 18.1

Abordez les questions suivantes avec vos collègues étudiants et vos superviseurs.

1. Quel modèle d'évaluation favorise-t-on dans votre programme de formation des maîtres? Ressemble-t-il à l'approche fondée sur les objectifs ou à celle qui se rattache à la critique de l'art d'enseigner?
2. Quels critères seront utilisés pour évaluer votre performance d'étudiant-maître? Comment sont-ils déterminés? Donne-t-on le même poids à tous les critères?
3. Quelles responsabilités chacune des personnes suivantes a-t-elle dans l'évaluation de votre enseignement?
   a) le superviseur de l'université;
   b) le maître-hôte;
   c) vous, l'étudiant-maître.
4. Comment pouvez-vous vous assurer que vous recevez une évaluation adéquate de votre enseignement?

Deuxièmement, mettez en oeuvre un processus d'auto-évaluation, que votre programme l'exige ou non. En examinant votre propre enseignement avec intensité et de manière réflexive, vous serez mieux préparé pour aller demander l'assistance du superviseur, choisir les termes et le caractère de votre évaluation externe, comprendre les commentaires que vous recevrez, et répondre de façon réfléchie aux éloges et aux critiques. Il n'y a pas un meilleur moment que maintenant pour commencer à travailler à raffiner et à développer votre compétence en tant qu'analyste et évaluateur de l'enseignement, et pour prendre les dispositions nécessaires pour devenir un «connaisseur» du bon enseignement.

Troisièmement, vous devriez vous attarder à considérer les compétences enseignantes les plus fréquemment identifiées en vous demandant ce qu'elles signifient pour vous dans votre champ d'enseignement. Vous aurez une bonne idée de ce que sont ces compétences grâce à vos cours de méthodologie, en examinant les formulaires d'évaluation et l'abondante littérature sur ce sujet. La maîtrise appropriée de la matière, par exemple, comportera différents degrés de connaissances pour les classes d'études sociales au primaire et les classes enrichies en histoire médiévale du secondaire V. Jusqu'à quel point portez-vous attention à ces compétences et à ces attentes en planifiant votre enseignement et en donnant vos leçons? Il vous arrivera parfois de trouver que la «sagesse» reçue concernant différentes habiletés d'enseignement est fort discutable et même inappropriée dans votre contexte d'enseignement. Par contre, le simple fait d'y avoir réfléchi vous aura préparé à expliquer vos actions aux évaluateurs et à incorporer leurs observations dans votre auto-évaluation. Vos approches personnelles ne se conforment peut-être pas aux comportements exposés par les enseignants efficaces mais peuvent, néanmoins, être très efficaces.

Il est indispensable que vous ayez un sens précis de ce que vous essayez de faire dans vos classes et que vous puissiez dire pour quelles raisons vous le faites. Quelles sortes de questions posez-vous à vos élèves? Qu'attendez-vous d'eux au cours de chaque leçon? Pourquoi avez-vous choisi un matériel spécifique pour une situation particulière? Qu'est-ce que les élèves devraient savoir ou être capables de faire à la suite de votre enseignement pour que vous soyez satisfait de votre travail? Pourquoi avez-vous choisi ces objectifs en particulier? Peuvent-ils être mesurés, et si oui, comment? Vous devriez également essayer d'exercer vos pouvoirs d'observation. Qu'est-ce que les élèves font pendant et entre les classes? Qu'est-ce que leurs actions et leurs réponses vous disent sur vos leçons? Jusqu'à quel point *votre* performance reflète-t-elle vos plans et vos intentions du début? En résumé, si vous commencez à vous poser des questions et à répondre à certaines d'entre elles qui, sous une forme ou sous une autre, sont aussi considérées par la plupart des évaluateurs, vous vous préparerez tout à la fois à l'enseignement et à tirer le maximum de l'évaluation.

Quatrièmement, gardez en vue votre évaluation de stage d'étudiant-maître. La plupart des programmes n'offrent qu'une pratique de l'enseignement limitée qui ne permet aux étudiants que de commencer à explorer l'éventail de leurs responsabilités professionnelles; à l'intérieur de ces expériences limitées, vos évaluateurs n'ont eu l'occasion que d'examiner brièvement vos activités et vos interactions avec les élèves. Sur la base de cette information très limitée, les bons superviseurs sont particulièrement entraînés à fournir des suggestions et à porter des jugements incisifs et utiles, mais la plupart ne prétendent pas que leurs évaluations sont définitives. Leurs évaluations sont des interprétations d'événements actuels, et comme les travaux d'histoire auxquels on peut les comparer, elles sont propices au réexamen et à la révision.

EXERCICE 18.2

1. Faites une liste des compétences que vous croyez être importantes pour réussir un enseignement efficace dans votre champ d'enseignement.
2. Pour chaque compétence, suggérez au moins deux indicateurs d'efficacité qu'un superviseur pourrait observer lors d'une évaluation de votre enseignement.
3. Comparez votre liste de compétences avec celle des autres étudiants. Discutez les similitudes et les différences de vos listes.
4. Discutez certains des problèmes qu'un superviseur peut rencontrer lors d'une évaluation de votre enseignement dans ces secteurs de compétences.

Il arrive souvent que les étudiants-maîtres qui se sentent mal à l'aise ou sont insatisfaits de leurs évaluations – et dans ce groupe ne se trouvent pas seulement ceux qui ont reçu des notes peu élevées ou ont reçu de sévères critiques – réagissent brusquement et avec emportement. Certaines recherches indiquent que les évaluations d'observateurs externes – par exemple, le personnel de l'université – sont portées à être plus critiques que celles des maîtres-hôtes et des étudiants-maîtres eux-mêmes[21]. Sachant que l'évaluation de l'enseignement est plus interprétative qu'exacte, examinez vos rapports d'évaluation attentivement. Forment-ils un tout consistant? Représentent-ils une interprétation honnête et *plausible* de votre performance dans l'enseignement? Identifient-ils des secteurs forts ou faibles que vous reconnaissez vous-même? Représentent-ils un essai sérieux de rendre justice à votre travail, malgré peut-être les différences inévitables dans les points de vue ou la compréhension des événements? Vous ne devriez pas être surpris ou déçu si votre auto-évaluation et les évaluations de vos superviseurs et des maîtres-hôtes ne concordent pas; au contraire, vous devriez être plutôt mal à l'aise s'ils correspondent.

N'hésitez jamais à demander des explications à vos évaluateurs, mais ne le faites qu'après avoir tenté tous les efforts pour comprendre et peser leurs jugements et après les avoir assimilés dans vos réflexions. Certaines institutions possèdent des procédures d'appel pour ceux qui ne sont vraiment pas d'accord avec les évaluations reçues, mais dans la plupart des cas elles sont complexes et longues et ne devraient pas être prises à la légère. Vous pourriez demander des évaluations supplémentaires, soit de votre propre superviseur, soit d'autres personnes, ne serait-ce que pour consulter des sources d'expertise différentes de celles qui sont responsables de votre évaluation.

Finalement, souvenez-vous bien que si l'évaluation de vos stages d'enseignement est extrêmement importante en raison de certains buts qu'on poursuit, elle n'est pas différente de vos autres notes universitaires. Votre rapport d'évaluation représente un jugement cumulatif sur votre travail, tout comme votre note finale en Histoire 100, mais le seul jugement final est celui que représente Michel-Ange dans les fresques de la chapelle Sixtine! Peu d'employeurs ou d'écoles de second cycle regarderont les notes et l'évaluation de vos stages d'enseignement sans prendre en considération vos autres expériences et vos autres réussites. Les commentaires des élèves, des collègues et des parents contribuent tous à votre évaluation formative, ce qui constitue un élément critique de votre développement professionnel; et dans la mesure où vous avez assimilé les résultats de vos évaluations formelles et informelles, cela influencera ceux qui vous feront passer des entrevues pour un emploi et pour accéder à des études supérieures.

La plupart des universités prennent sérieusement en main leur responsabilité en rendant les évaluations des étudiants-maîtres les plus justes, les plus crédibles et les plus humaines possible. Elles comprennent habituellement qu'il n'existe pas de façon parfaite d'évaluer, et qu'on ne peut appliquer que très peu de critères de manière indifférenciée à tout enseignement. Dans ce contexte, l'évaluation est une expérience bienvenue, plutôt que redoutable, en tant qu'élément valable de votre éducation générale et de votre développement professionnel.

Notes

1. Schalock, Del. (1979). Research on teacher selection. *Review of Research in Education, 7*, pp. 391-394.
2. Johnson, James A. (1968). *A national survey of student teaching programs, final report.* DeKalb, IL: Northern Illinois University, p. 39.
3. House, Ernest R. (1980). *Evaluating with validity.* London: Sage Publications, pp. 21-43.
4. Voir, par exemple, Hunter, Madeline (1984). Knowing, teaching, and supervising. Dans Philip L. Hosford (Ed.), *Using what we know about teaching;* mais voir aussi Costa, Arthur L. A response to Hunter's Knowing, teaching, and supervising, dans le même volume; et Stallings, J. (1985), A study of implementation of Madeline Hunter's model and its effects on students. *Journal of Educational Research, 78*, pp. 325-337.
5. Eisner, Elliot W. (1985). *The art of educational evaluation: A personal view.* London: Falmer Press, pp. 29-38.
6. Shapiro, Phyllis. (1971, Octobre). The evaluation of student teachers. *Teacher Education, 11,* pp. 40-48.
7. Voir Unks, Gerald (1985-86). Product oriented teaching: A reappraisal. *Education and Urban Society, 18*, pp. 242-254.
8. Reiff, Judith C. (1980). Evaluating student teacher effectiveness. *College Student Journal, 14*, pp. 369-372.
9. Applegate, Jane H., & Lasley, Thomas J. (1984, Avril). What cooperating teachers expect from preservice field experience students. *Teacher Education, 24*, pp. 70-82.
10. Travers, Robert M.W. (1981). Criteria of good teaching. Dans Jason Millman (Ed.), *Handbook of teacher evaluation.* London: Sage Publications, p. 21.
11. Eisner, Elliot W. (1982). An artistic approach to supervision. Dans Thomas J. Sergiovanni (Ed.), *Supervision of teaching.* Alexandria, VA: Association for Supervision and Curriculum Development, pp. 53-66.
12. Voir aussi McKenna, Bernard H. Context/environment effects in teacher evaluation. Dans Millman, *op. cit.*, pp. 23-37.
13. Eisner. (1985). *op. cit.*, pp. 179-187.
14. Eisner. (1982). *op. cit.*, pp. 60-61.
15. Butler, Roberta J., & Kantor, Kenneth J. (1979-1980). Evaluating student-teacher interaction in English. *English Education, 11,* p. 34.

16. Voir Walker, Richard T. (1981). Myths in student teacher evaluation. *English Education, 13*, pp. 10-11.
17. Hore, T. (1971). Assessment of teaching practice: An attractive hypothesis (pp. 327-328). *British Journal of Educational Psychology, 41*, pp. 327-328.
18. Hogan, Padraig. (1983, Janvier). The central place of prejudice in the supervision of student teachers. *Journal of Education for Teaching, 9*, p. 38.
19. Scriven, Michael. Summative teacher evaluation. Dans Millman, *op. cit.*, pp. 244-271.
20. Voir, par exemple, Simon Anita, & Boyer, E. Gil. (1967). *Mirrors for behavior: An anthology of classroom observation instruments.* Philadelphia: Center for the Study of Teaching, Temple University. Cette publication illustre plus d'une centaine d'instruments différents utilisés dans l'observation des comportements en classe.
21. Defino, Maria E. (1983). *The evaluation of student teachers.* Austin, TX: University of Texas Research and Development Center for Teacher Education, p. 8.

QUATRIÈME PARTIE

Présentation

MA FAÇON D'EXPLOITER LES RESSOURCES DU MILIEU POUR ME DÉVELOPPER SUR LE PLAN PROFESSIONNEL

Tout au long de ce livre, nous avons souligné que l'apprentissage autogéré et l'auto-réflexion critique représentent des aspects importants de votre développement professionnel. Pour vous améliorer, nous vous avons encouragé à reconnaître et à développer votre propre style d'enseignement, à prendre la responsabilité d'évaluer votre performance et à fixer vos objectifs. Cependant, pour stimuler votre croissance professionnelle, l'apprentissage autogéré peut également s'enrichir d'un autre processus complémentaire, celui qui consiste à utiliser les idées, les expériences, les ressources et les conseils des personnes de votre milieu. Bien que ces deux processus puissent sembler contradictoires, les plus efficaces parmi ceux qui apprennent de façon autogérée sont en fait ceux qui excellent à organiser, maintenir et exploiter toute une gamme de supports qui les aident à atteindre leurs objectifs.

L'enseignement a tendance à devenir une activité isolée en offrant peu d'occasions d'échanger avec d'autres adultes au cours d'une journée de travail. Aussi, le meilleur moment de se développer un système de support entre collègues et d'apprendre à l'utiliser de manière efficace, c'est au cours de votre stage d'enseignement. Alors, votre première année d'enseignement deviendra beaucoup plus qu'un exercice solitaire de survie. Les six chapitres de cette quatrième partie vous présentent des stratégies qui vous aideront à exploiter les systèmes de support de votre milieu, susceptibles de vous aider à grandir à titre de professionnel.

L'importance des habiletés interpersonnelles et de groupe dans le développement d'un système de support entre collègues fait l'objet du chapitre intitulé *Le groupe, une ressource au cours du stage d'enseignement,* rédigé par Hellmut Lang et Donna Scarfe. Ils discutent des habiletés d'interaction spécifiques et des stratégies de support qui peuvent maximiser les profits venant des groupes de support entre collègues au cours de la formation des maîtres.

Dans le chapitre *Converser entre enseignants et naître sur le plan de la pratique professionnelle,* Meguido Zola suggère des façons d'étendre le support au-delà de la formation initiale des maîtres. Ce chapitre examine, de façon imaginative, comment les enseignants peuvent se donner des occasions de support et d'apprentissage grâce à des sessions se déroulant de façon informelle, et se centrant sur des questions d'importance professionnelle. Il met l'accent sur l'importance d'apprendre en faisant appel aux autres à travers le partage et la résolution de problèmes reliés à des situations réelles survenues dans le contexte de la classe.

Les rôles d'encadrement du maître-hôte et du superviseur de l'université sont examinés par Sol E. Sigurdson dans son chapitre intitulé *Rôle de la consultation au cours du stage d'enseignement.* Ce chapitre montre à l'étudiant-maître les différents types de consultation que le maître-hôte et le superviseur universitaire peuvent assumer pour stimuler l'apprentissage de l'étudiant-maître au cours du stage d'enseignement.

Helen Bandy et Sharon Alexander continuent d'explorer le potentiel bénéfique que recèle le processus de supervision dans leur chapitre *La supervision de l'étudiant-maître, une approche d'équipe.* Elles mettent l'accent sur le rôle des membres de l'équipe et sur les types d'événements nécessitant une attention particulière, et cela, afin de permettre à l'équipe de fonctionner efficacement.

Le chapitre de Bryan Hiebert *Composer avec le stress,* présente une approche pratique pour relever le défi des études en formation initiale des maîtres. Il décrit comment vous pouvez développer vos propres ressources pour vous engager dans la

126

période exigeante du stage d'enseignement, caractérisée par tout un ensemble de pressions.

Sharon Snow termine cette section en examinant la première année d'enseignement suivant la remise des diplômes, habituellement nommée la période probatoire du développement professionnel*. Dans son chapitre intitulé *Inquiétudes de l'enseignant au cours de la première année d'enseignement*, elle écrit à partir de l'expérience d'une enseignante débutante qui a appris qu'on peut non seulement survivre au défi que représente cette première année d'enseignement, mais aussi éprouver la joie d'enrichir son expérience grâce au support des collègues.

Finalement, dans la conclusion de ce livre, Ian Andrews utilise la métaphore *Une pièce en trois actes* pour décrire les étapes du développement professionnel continu par lequel vous passerez, de l'entraînement au moment de la formation initiale à la longue carrière du professionnel. Il montre comment les enseignants peuvent continuer à maintenir leur individualité et leur autonomie tout en poursuivant leurs activités professionnelles à l'intérieur d'un réseau de support de collègues et de consultants.

---

* N.d.T. Au Québec, après l'obtention d'un diplôme universitaire d'enseignement, l'enseignant débutant reçoit un permis temporaire du ministère de l'Éducation. Il obtiendra un brevet d'enseignement après la réussite d'un stage probatoire en milieu scolaire d'une durée de deux ans.

Chapitre 19

LE GROUPE, UNE RESSOURCE AU COURS DU STAGE D'ENSEIGNEMENT

Hellmut R. Lang et Donna Scarfe

HELLMUT R. LANG *est professeur d'éducation à l'Université de Regina. Il a coordonné le développement des programmes au primaire et au secondaire, pour les jeunes adultes, en éducation des arts, en études indiennes et en formation des maîtres pour ce qui touche les aspects techniques de l'enseignement. Il a écrit de nombreux documents sur les programmes d'études pour le ministère provincial de l'Éducation et a développé des outils génériques de protocole pour la formation des maîtres, au primaire et au secondaire, qui connaissent une distribution internationale. Il possède une vaste expérience en supervision de stage et en formation de maîtres-hôtes.*

DONNA SCARFE *est membre de la Faculté, à Regina, au programme de formation des maîtres autochtones de la Saskatchewan. Ancienne enseignante du primaire, elle enseigne aux étudiants-maîtres, supervise des étudiants avant et pendant leurs stages et a été l'une des figures dominantes dans la formation des maîtres-hôtes. Elle a été à l'origine de la formation de groupes orientés vers le développement d'habiletés interpersonnelles (SUNTEP) et a donné des conférences à la WESTCAST sur le thème: Sociétés développées et autochtones. Elle est actuellement rattachée à l'Institut Gabriel Dumont.*

L'IMPORTANCE DE MIEUX CONNAÎTRE LE FONCTIONNEMENT DES GROUPES

La complexité croissante des conditions sociales et la grande concentration des gens ont mis en évidence le besoin et l'importance d'apprendre à travailler efficacement en groupes. La vie contemporaine prime les habiletés des citoyens qui cultivent de bons rapports avec les autres... les écoles portent une responsabilité croissante d'aider les élèves à apprendre des habiletés de comportement qui les aideront à remplir des rôles responsables et utiles dans la société et à contribuer au maximum à la productivité des groupes... ceci signifie que de concert avec le programme scolaire, les écoles doivent également se préoccuper de développer des habiletés interpersonnelles chez leurs élèves[1].

L'enseignement se distingue des autres professions en ceci que les enseignants travaillent avec des groupes. Bien que certains travaux soient effectués sur une base individuelle, la majeure partie de l'enseignement et de l'apprentissage se fait sous forme de groupe. Le groupe peut soit aider, soit nuire à l'apprentissage des individus. En fait, la classe est un système social complexe sujet à de nombreuses forces sociales incluant les amitiés, les modèles de communication, le pouvoir et l'influence, les rôles perçus du leader et des membres du groupe, et les règles de groupe élaborées par les pairs.

Chaque classe est marquée par une influence du groupe sous une forme ou sous une autre. Par exemple, lorsque l'enseignant donne des directives à la classe, les réponses sont influencées non seulement par les relations de l'enseignant avec les individus, mais aussi par les attitudes, les sentiments et les relations qui président à l'intérieur du groupe de pairs. Les élèves s'influencent les uns les autres; dès lors, la connaissance qu'a un enseignant des modèles d'interaction, des structures de pouvoir, des points forts et des faiblesses individuelles dans les processus de groupe peut faciliter une meilleure gestion de la classe et de l'apprentissage.

Les résultats de certaines recherches suggèrent que susciter le développement du groupe à l'intérieur d'une classe en vaut la peine; cela porte fruit auprès des élèves, qu'il s'agisse de meilleures notes, d'une amélioration des relations interpersonnelles ou d'une participation plus efficace à la vie de la société. Stanford affirme qu'il ne fait aucun doute qu'en aidant une classe à devenir un groupe adulte, les élèves apprennent davantage parce que le sentiment d'appartenance positive à un groupe mène à un concept de soi plus élevé chez les membres du groupe. L'encouragement à se développer comme groupe peut aussi:

- aider les élèves à se sentir moins menacés, moins défensifs et plus à l'aise les uns avec les autres;
- encourager l'apprentissage de la matière en poussant les élèves à y prendre part activement;
- augmenter l'efficacité des méthodes d'enseignement qui recourent aux groupes;
- encourager l'apprentissage en augmentant les interactions entre élèves et en utilisant cette force de l'influence des pairs.

L'attention portée au développement du groupe, selon Stanford, produit également une gestion améliorée de la classe, parce que les élèves deviennent plus spontanés, liés les uns aux autres, informels, disciplinés et capables de mener une discussion. À l'intérieur de groupes, les élèves se forgent des habiletés interpersonnelles de base et des attitudes qu'ils appliqueront longtemps par la suite[2].

GROUPES EFFICACES DANS L'ENSEIGNEMENT DES MAÎTRES

Votre programme de formation des maîtres vous fournira de nombreuses occasions d'apprendre les éléments du développement des groupes. Ces occasions se présenteront, non seulement dans les classes d'école où vous observez des groupes d'élèves et travaillez avec eux, mais aussi dans les cours de formation des maîtres alors que vous participez en groupes avec d'autres étudiants.

En tant qu'étudiant-maître, vous appartenez à un groupe-classe, à un groupe de séminaire, et au groupe qui réunit dans le programme de formation des maîtres les étudiants d'un même niveau universitaire. Ces groupes peuvent contribuer de manière puissante et positive à votre développement professionnel individuel. À titre de membres individuels de ces groupes, les étudiants-maîtres peuvent se donner un support mutuel, partager des idées et décupler leurs apprentissages grâce aux interactions avec les autres. Ceux qui apprennent comment utiliser les groupes de pairs pour obtenir du support au cours de la formation des maîtres seront plus portés à utiliser des stratégies de groupe pour obtenir un support continu lorsqu'ils seront diplômés.

Il est possible de développer un programme de formation des maîtres qui fasse appel au potentiel positif du groupe des pairs, en vue d'encourager à la fois le support individuel de l'étudiant et le développement du groupe lui-même en tant que tel. Lorsqu'on fournit aux étudiants l'occasion de faire des expériences qui leur permettent d'apprendre au sujet de la dynamique d'un groupe, de son développement et de son maintien, ils peuvent promouvoir des groupes de classe sains et efficaces en tant qu'étudiants-maîtres et, plus tard, en tant qu'enseignants. Vivre ces sortes d'expériences peut développer un concept de soi plus positif et une plus grande compétence professionnelle chez chaque étudiant, et contribuer à l'atteinte des objectifs du programme.

Nous croyons que les habiletés et les processus de groupe devraient être planifiés et enseignés soigneusement comme partie intégrante du programme de formation des maîtres. Lorsque vous aurez complété votre formation d'enseignant, vous devriez avoir appris consciemment et expérimentalement comment se développe un groupe-classe sain et efficace; et vous devriez être capable de favoriser l'émergence de tels groupes dans vos classes à l'avenir. Vous avez besoin de vous initier à la communication, aux habiletés interpersonnelles et de groupe, et au développement d'un groupe-classe productif. De plus, en tant qu'étudiant-maître, vous devriez apprendre quels types de caractéristiques personnelles contribuent à l'efficacité d'un groupe et vous appliquer à les acquérir. Les programmes de formation des maîtres devraient être structurés sur une base séquentielle à la façon d'une genèse, de manière à inclure ces habiletés appropriées. Les professeurs d'université en sciences de l'éducation doivent insister sur l'application ou le transfert de ces habiletés à des classes scolaires. Le Tableau 19-1 souligne les habiletés qui pourraient être intégrées dans un programme de formation des maîtres.

Tableau 19-1

Habiletés à développer chez les étudiants-maîtres

Communication, relations interpersonnelles et habiletés de groupe

Habiletés à communiquer	Habiletés interpersonnelles	Habiletés à la vie en groupe
Verbales :		
choix de mots, clarté	savoir paraphraser	participer
prononciation	décrire le comportement	*brainstorming*
variation du ton	des autres	sessions de conversation
savoir faire une pause	vérifier ses perceptions	résolution de problèmes
Non verbales :		
les gestes	décrire son propre	fixer des buts
le contact des yeux	comportement	résoudre des conflits
l'expression faciale	décrire ses sentiments	animer un groupe efficacement
la position du corps		

Sous-habiletés d'habiletés interpersonnelles et de groupe			
écouter	faire la médiation	observer	coder
participer	inclure les autres	fixer des buts	imaginer
interagir	consigner par écrit	chercher un consensus	interpréter
demander de	rapporter	faire des hypothèses	critiquer
l'information	encourager	catégoriser	analyser
partager l'information	résumer	comparer	diagnostiquer
ouverture	clarifier	opposer par contraste	avoir de l'initiative
jugement différé	demander du *feedback*	classifier	accepter
faire confiance	donner du *feedback*	recueillir les données	art du compromis
risquer	authenticité	organiser les données	
responsabilité			

Les sections qui suivent présentent des suggestions aux étudiants et aux professeurs des sciences de l'éducation, en montrant ce qu'ils peuvent faire pour développer des groupes efficaces à l'intérieur d'un contexte de programme de formation des maîtres. Nous discuterons: (1) des caractéristiques personnelles contribuant à l'efficacité du groupe; (2) des habiletés interpersonnelles; (3) des habiletés de groupe; (4) des comportements du maître; et (5) des interventions (activités pour apprendre et renforcer les habiletés). Lorsque vous prendrez note de cette information, souvenez-vous que chaque groupe est unique et possède des caractéristiques et des besoins spécifiques. Les programmes de formation des maîtres diffèrent en format et en longueur; il faudra donc prévoir des adaptations aux situations spécifiques. Notez, de plus, que le concept de soi se développe de concert avec l'efficacité du groupe (certains disent que c'est une condition préalable). Les caractéristiques des membres individuels du groupe affecteront les processus de tout le groupe.

CARACTÉRISTIQUES PERSONNELLES QUI CONTRIBUENT À L'EFFICACITÉ DU GROUPE

Les caractéristiques suivantes identifient celles que les membres individuels d'un groupe devraient développer pour contribuer de façon optimale à la réalisation des objectifs du groupe.

1) Écouter lorsque les autres parlent;
2) Participer activement aux activités du groupe;
3) Échanger avec tous les membres du groupe;
4) Aller chercher et partager l'information;
5) Être ouvert aux idées et suggestions des autres;
6) Éviter les préjudices et les préjugés;
7) Avoir confiance dans l'intégrité et l'habileté des autres;
8) Être capable d'exprimer des idées, des sentiments et des inquiétudes;
9) Accepter la responsabilité des conséquences de son comportement;
10) Éviter les comportements égocentriques tels que juger, blâmer, être pompeux ou raconter des histoires;
11) Solliciter du *feedback* et le donner lorsqu'on le demande;
12) Aider le groupe en résumant, clarifiant, méditant, supportant, louangeant et encourageant;
13) Être sensible aux sentiments et aux inquiétudes des autres;
14) Accepter les différences individuelles;
15) Démontrer de l'empathie et écouter les idées des autres;
16) Être authentique;
17) Se fixer des objectifs, évaluer le progrès et planifier l'amélioration;
18) Soutenir et assister les autres;
19) Utiliser les moyens tels la prise de décision, la résolution de problèmes et les cadres de référence pour résoudre des conflits;
20) Être positif envers soi, envers les autres et envers le groupe.

Ouverture interpersonnelle

L'habileté d'un individu à rester ouvert, confiant, et digne de confiance à l'intérieur d'un groupe encourage l'attirance, l'acceptation et l'estime de soi. Joe Luft et Harry Ingram présentent un modèle conceptuel – la fenêtre Johari – qui peut être utile dans le développement de ces qualités pour améliorer les relations interpersonnelles et, par voie de conséquence, l'efficacité du groupe[3]. Aux fins d'atteindre de façon appropriée les objectifs du groupe, la fenêtre de Johari peut vous servir d'outil pour apprendre à vous connaître davantage, pour que les autres apprennent à vous connaître et pour que vous appreniez à connaître les autres. Elle est fondée sur l'information donnée et reçue, et peut également être utilisée par une classe comme moyen de s'examiner en tant que groupe. Le modèle consiste en des fenêtres qui montrent ce que vous connaissez de vous, ce que vous ne connaissez pas encore de vous, ce que les autres connaissent de vous, et ce que les autres ne connaissent pas encore de vous. Il est illustré à la Figure 19-1.

Figure 19-1
La fenêtre de Johari[4]

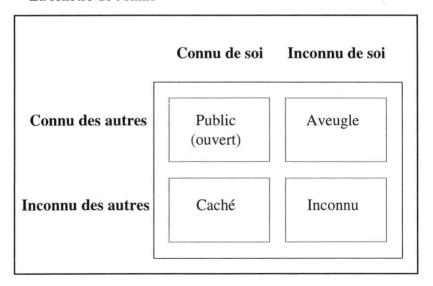

135

Le carreau *public (ouvert)* comprend l'information que vous connaissez, et que la plupart des autres membres du groupe connaissent de vous. Il décrit des motifs et des comportements typiques. Le carreau *aveugle* comprend les aspects que vous ne connaissez pas de vous, mais que les autres membres du groupe connaissent. Le carreau *caché* réfère à l'information qui vous concerne et que vous connaissez mais que les autres membres du groupe ne connaissent pas, alors que le carreau *inconnu* comprend l'information qui vous concerne mais que ni vous ni les autres membres du groupe ne connaissez.

Une personne qui possède une bonne connaissance de soi a une grande fenêtre *public*. Lorsque nous travaillons avec d'autres, nous avons tendance à utiliser nos perceptions et nos besoins comme points de référence. Être conscient de soi augmente non seulement notre sensibilité aux effets que produisent nos motifs et de nos comportements sur les autres, mais aussi notre capacité à aider les autres à se comprendre. Les groupes qui travaillent sur la conscience de soi et des autres ont tendance à être plus forts et plus cohérents.

Accroître l'ouverture de votre fenêtre *public*, lorsque c'est pertinent à votre situation, peut vous permettre de devenir un membre du groupe plus efficace. Pour réaliser cela, vous devez faire circuler l'information d'un ou des autres carreaux vers le carreau *public*. Vous pouvez accomplir ceci: (1) en vous révélant davantage aux autres (caché au public); (2) en incitant et en acceptant le «feedback» des autres (aveugle au public); ou (3) en participant à des activités de groupe qui vous permettent, à vous et aux autres, d'en apprendre davantage sur vos motifs et vos comportements (inconnu du public).

Le développement du groupe comporte fréquemment des exercices destinés à aider ses membres à apprendre davantage sur eux-mêmes et sur les autres. Par exemple, un groupe d'étudiants-maîtres peut se concentrer sur le thème: «pourquoi je veux devenir enseignant», en utilisant la fenêtre Johari comme modèle conceptuel d'identification de ce qu'ils connaissent *avant* et *après* la discussion. La discussion ne permet pas seulement aux individus d'examiner leurs motifs et de les présenter aux autres, mais elle leur fournit un centre d'intérêt qui permet d'identifier les buts communs et le sentiment de cohésion et de support mutuel en groupe.

HABILETÉS INTERPERSONNELLES CONTRIBUANT À L'EFFICACITÉ DU GROUPE

Il est nécessaire que des habiletés interpersonnelles assurent une communication réciproque, réduisent «l'espace interpersonnel» (manque de conformité entre le message intentionnel et le message reçu), et créent un climat qui contribue à l'efficacité du groupe. Les habiletés interpersonnelles nous aident à comprendre les autres, et aident les autres à nous comprendre. Les habiletés à communiquer et les relations interpersonnelles suivantes ont été identifiées comme contribuant à rendre un groupe efficace.

Une communication verbale et non verbale efficace inclut le choix des mots, la clarté, la prononciation, les variances de tonalité de la voix, la pause, les gestes, le contact des yeux, l'expression faciale et la position du corps. Les messages verbaux et non verbaux devraient être consistants, c'est-à-dire que le destinataire devrait comprendre le même message, qu'il s'agisse des mots, du ton de voix et du langage corporel de celui qui parle. Communiquer clairement, verbalement et non verbalement, réduit la possibilité de différence entre le message intentionnel et le message reçu.

Paraphraser est l'habileté à énoncer les idées d'une autre personne dans vos propres mots, ou de donner un exemple de ce que vous pensez que l'autre dit. Une bonne paraphrase est spécifique, et souvent plus concise que l'énoncé original. Nous utilisons parfois une paraphrase pour nous assurer que nous comprenons l'information, les idées et les sentiments de quelqu'un d'autre. Lorsque nous paraphrasons, l'interlocuteur a la possibilité de nous dire si nous comprenons bien le message intentionnel. Cela réduit non seulement la possibilité d'une mauvaise compréhension, mais aide également l'interlocuteur à clarifier ses idées.

La **vérification des perceptions** sous-entend la description de ce que vous percevez être l'état émotionnel d'une autre personne, et de voir si vous avez compris correctement ses sentiments. Cela exige d'écouter les mots et d'observer les indices non verbaux, de risquer une inférence, et de souligner clairement vos observations et vos déductions. La vérification des perceptions ne comprend pas des énoncés où on approuve ou désapprouve les sentiments de l'autre personne.

La **description des sentiments** indique aux autres comment vous vous sentez aux fins d'éviter une mauvaise interprétation. Les autres peuvent ne pas comprendre vos réponses parce qu'on peut exprimer des sentiments de différentes façons. Par exemple, les larmes peuvent être un signe de colère, de joie ou de tristesse. Les autres ont besoin de savoir comment vous vous sentez s'ils veulent prendre vos émotions en considération. Les sentiments devraient être décrits aussi explicitement que possible de façon non menaçante.

La **description des comportements** consiste à souligner les actions observables spécifiques des autres, sans les juger comme bonnes ou mauvaises, correctes ou incorrectes, et sans porter des accusations. Cette stratégie permet aux autres de savoir auxquels de leurs comportements vous réagissez. Le compte rendu devrait être formulé comme un essai qui reflète votre désir de vérifier vos impressions. La description des comportements réduit le risque de susciter des mécanismes de défense et augmente la possibilité de comprendre.

Donner et recevoir du «feedback» exige un échange mutuel d'information concernant nos interactions. Fournir du feedback efficacement – c'est-à-dire lorsque c'est nécessaire ou demandé – est une habileté qu'on peut appliquer aux relations interpersonnelles et de groupe; reconnaître le moment approprié pour demander du «feedback», le demander et le recevoir de façon constructive peut représenter une étape importante de l'évolution de l'individu et du groupe. Le «feedback» est important parce que nous sommes des êtres fonctionnels interdépendants; et pour une large part, c'est le seul moyen que nous ayons de juger les effets de notre comportement sur les autres. Une telle interaction peut faciliter notre propre perception de soi, et peut assurer une correspondance entre les messages que nous avons l'intention de faire passer et ceux que nous recevons des autres. Pour être efficace, le «feedback» devrait: (1) être descriptif plutôt qu'évaluatif, de sorte que personne ne sente le besoin de réagir défensivement; (2) être spécifique plutôt que général; (3) prendre en considération les sentiments du destinataire et de celui qui le donne; (4) se concentrer sur les comportements que l'individu (ou le groupe) peuvent changer; (5) être donné lorsqu'on le demande (dans la plupart des cas); et (6) donner au destinataire la possibilité de clarifier et de vérifier son exactitude. L'habileté à donner du feedback utile doit être enseignée et apprise; de même, l'habileté à demander et à recevoir du «feedback» est une attitude qu'il vaut la peine de cultiver.

HABILETÉS EN GROUPE CONTRIBUANT À L'EFFICACITÉ DU GROUPE

Les groupes peuvent employer une grande variété d'habiletés pour construire leur cohésion et faciliter l'atteinte de leurs objectifs. Les groupes efficaces utiliseront constamment la communication et les habiletés interpersonnelles décrites ci-haut. De plus, ils emploieront un certain nombre d'autres habiletés et de sous-habiletés pour encourager le fonctionnement du groupe.

Participer à la réalisation des tâches et aux activités de maintien du groupe comprend entre autres: aller chercher l'information; partager l'information; clarifier; écouter; participer aux tâches; partager le leadership; encourager la participation; inclure les autres dans les activités et les discussions du groupe; résumer (sous forme formative et cumulative); intervenir; enregistrer et collecter les données dans les discussions de groupe; faire des rapports justes et précis. Ces sous-habiletés ne

surviennent pas comme par enchantement: une attention consciente est nécessaire pour les acquérir et pour savoir les utiliser.

Le «**brainstorming**» est utilisé pour identifier les objectifs,
encourager la créativité et pour prendre part aux processus de
prise de décision et de résolution de problèmes. Les membres
du groupe posent un problème particulier et suggèrent le plus
d'idées possible pour le résoudre. Au cours de la période
spécifiée de «brainstorming», le jugement est éliminé, la liberté
est bienvenue, la quantité d'idées est encouragée, et la
combinaison et l'amélioration d'idées sont recherchées. Le
«brainstorming» peut être effectué par le groupe entier ou par
plusieurs sous-groupes qui se penchent sur le même problème.
Dans ce dernier cas, les solutions proposées sont finalement
mises en commun et discutées par le groupe entier. Le «brainstorming» individuel précède parfois la discussion de groupe.

Les **sessions de conversation** engagent les membres du
groupe dans un processus de discussion sur un sujet spécifique.
Le sujet étant choisi, une limite de temps pour la discussion est
établie; puis on choisit un membre pour enregistrer les données
et un leader; on recherche un accord sur le sujet. Parfois, le
groupe se divise en petits groupes pour la discussion initiale,
puis se réunit de nouveau pour analyser ou mettre en commun
les idées.

La résolution de problèmes en groupe consiste à adopter une
approche systématique et logique à une situation problématique.
Le processus comprend les étapes suivantes: (1) définition du
problème; (2) faire l'inventaire des causes possibles du problème
(le «brainstorming» peut être utilisé); (3) décider quelles sont
les causes les plus plausibles du problème; (4) choisir les
solutions possibles (le «brainstorming» peut être utilisé à
nouveau); (5) adopter la solution la plus plausible après examen
du pour et du contre ou des conséquences possibles; et (6)
déterminer quelle peut être la meilleure façon de donner suite à
la solution (incluant une limite de temps et des stratégies pour
juger du succès de la solution). L'habileté à résoudre des

problèmes efficacement constitue un élément fondamental de l'efficacité d'un groupe.

Établir des objectifs appropriés pour un groupe repose sur la recherche d'un consensus, la résolution de problèmes, et l'utilisation d'habiletés interpersonnelles. La plupart des groupes poursuivent plusieurs objectifs. Certains sont «fixés» par l'institution, la classe ou le programme, alors que d'autres découlent des interactions du groupe. Des objectifs peuvent même être établis pour que le groupe fonctionne et pour motiver le comportement de ses membres. On peut établir des objectifs à atteindre à court terme ou à long terme; les objectifs à court terme constituent habituellement le point de départ de buts à poursuivre à plus long terme. Voici les éléments qu'il faut considérer pour établir des objectifs: les tâches à accomplir; les avantages de l'objectif; la possibilité de l'atteindre; le niveau de défi qu'il représente; l'habileté de savoir si l'objectif est atteint ou non; une certaine concordance entre les objectifs individuels et ceux du groupe; le niveau de satisfaction ou de récompense que l'atteinte de l'objectif peut produire pour les membres du groupe; et le type et la nature des interactions demandées aux membres. Fixer des objectifs de manière efficace, qu'ils soient individuels ou pour le groupe, c'est une habileté qui s'apprend.

On se sert de l'habileté à **résoudre des conflits** pour négocier des solutions aux conflits qui peuvent survenir entre les membres du groupe. La naissance de conflits est un phénomène normal dans la plupart des groupes. Les membres du groupe peuvent réagir au conflit en *évitant* la situation de conflit; en *reportant* le traitement du conflit; en *s'engageant dans des guerres de pouvoir* ; ou en *négociant* une solution acceptable par toutes les parties en cause. Si les groupes savent traiter correctement les conflits, il en résultera probablement alors une plus grande cohésion entre leurs membres. Une résolution de conflit efficace exige l'utilisation des habiletés de négociation propres au diagnostic, à l'esprit d'initiative, à l'écoute et au recours à la résolution de problèmes (comme on l'a discuté auparavant). Les individus et le groupe peuvent évidemment retirer de grands profits d'une résolution de conflit efficace.

L'**animation** efficace du groupe consiste à fournir du «feedback» sur tout ce qui touche la vie du groupe. Ce type de «feedback» devrait être descriptif et libre de tout jugement. Divers aspects contribuent à cette animation: l'*organisation du groupe ou de la classe* (comme la disposition spatiale des élèves, un arrangement qui facilite l'échange entre eux, et l'accès au matériel nécessaire); l'*interaction élève-élève* (types et fréquence des interactions, méthodes utilisées pour accomplir les tâches, réaction aux actions des autres, attention, orientation personnelle ou du groupe et interactions); *interaction leader ou maître-élève* (établir des règles, la nature des règles, les modèles d'interaction et le support apporté par le leader ou le maître); et les *habiletés à coopérer* (telles que adresser et recevoir des messages, l'authenticité ou la confiance, la résolution de problèmes, et la résolution de conflits).

COMPORTEMENTS DU RESPONSABLE QUI CONTRIBUENT À L'EFFICACITÉ DU GROUPE

Le maître est en grande partie responsable de l'efficacité d'un groupe parce qu'il a le pouvoir de donner le ton au groupe, de structurer ses activités et d'enseigner les habiletés à vivre en groupe. Voici quelques comportements du maître qui contribuent de façon significative au développement efficace d'un groupe.

Proposer un modèle de comportement, c'est démontrer de manière consistante les comportements désirés. Par exemple, si on désire développer la confiance et l'ouverture, le responsable devrait avoir confiance et être ouvert; si le respect et l'acceptation mutuelle représentent des buts, le maître doit démontrer du respect et de l'acceptation inconditionnelle; si on s'attend à l'optimisme et au bon vouloir d'essayer de nouvelles expériences, alors le leader doit exprimer de l'optimisme et être prêt à prendre des risques. Il ne suffit pas au responsable d'enseigner des habiletés interpersonnelles; il doit être un modèle des attitudes désirées.

Le responsable doit établir le **climat et l'organisation** qui encouragent les processus efficaces de la vie en groupe. Par exemple, le maître peut mettre l'accent sur des normes de groupe souhaitables tels la participation, la coopération, la recherche du consensus, l'authenticité, le support du groupe pour l'évolution individuelle et le partage du leadership. L'organisation efficace de la classe ou de l'espace de rencontre du groupe contribue également à un climat sain. Voici des facteurs qui influencent ce climat: (1) la lumière, la température, la couleur, la grandeur de la pièce et le confort du mobilier; (2) la souplesse dans l'arrangement des sièges pour accommoder les groupes de diverses grandeurs et faciliter une interaction facile entre les membres du groupe; (3) l'accessibilité au matériel nécessaire; (4) l'établissement et la souplesse d'un mode de fonctionnement permettant de libérer plutôt que d'inhiber le groupe; (5) la possibilité de se rallier à des modèles variés de regroupement qui peuvent s'adapter aux besoins individuels ou du groupe.

Les **stratégies d'enseignement** devraient fournir la possibilité aux membres de la classe de pratiquer les habiletés individuelles, interpersonnelles et de groupe. Bien que les cours magistraux soient appropriés pour donner de l'information rapidement ou pour relier entre elles d'autres stratégies, l'utilisation de méthodes qui requièrent la participation et l'utilisation d'habiletés interpersonnelles et de groupe contribuera à l'efficacité du groupe et encouragera l'apprentissage individuel.

Les stratégies *centrées sur celui qui apprend* sont généralement plus efficaces que celles qui sont *centrées sur l'enseignant*. Les méthodes centrées sur celui qui apprend contribuent à l'amélioration du concept de soi, des habiletés sociales, de l'apprentissage des matières et de l'adaptation aux différences individuelles. Voici des stratégies d'enseignement qu'on peut utiliser à cette fin et qui permettent de couvrir efficacement le contenu du programme: discussions par petits groupes ou de tout le groupe; projets de groupe; travaux de groupe; «brainstorming»; des groupes de conversation; des groupes qui s'adonnent à la résolution de problème; des jeux et des simulations; le jeu de rôle; et les rôles inversés. Ces stratégies requièrent toutes une interaction et l'utilisation d'habiletés de groupe.

Le responsable doit **être conscient des besoins individuels et de ceux du groupe** s'il veut encourager le développement du groupe. Il doit être sensible aux besoins des élèves pris individuellement et à ceux du groupe entier afin de sélectionner les interventions pertinentes. Par exemple, il arrive que les élèves soient tantôt prêts à travailler et le veuillent, parfois ils peuvent exprimer un besoin d'appartenance au groupe ou de valorisation, alors qu'à d'autres moments ils peuvent avoir besoin qu'on renforce l'identité ou la cohésion du groupe.

La **perception du rôle de l'enseignant** découle de la façon dont il perçoit sa présence à l'intérieur du groupe. L'évolution des habiletés interpersonnelles et de groupe est facilitée par un maître qui perçoit son rôle comme un accompagnateur ou un facilitateur de l'apprentissage, plutôt qu'un transmetteur de connaissances. Dans ce rôle, le maître fonctionne à titre de personne-ressource non autoritaire et sensible au développement du concept de soi chez l'élève. Il est vrai que les enseignants ont certaines responsabilités envers le programme et le développement cognitif de l'élève; mais ils possèdent aussi une latitude considérable pour donner des modèles de comportement, établir un climat et sélectionner les stratégies d'enseignement qui favorisent l'évolution interpersonnelle. La Figure 19-2 montre une façon de percevoir le rôle de l'enseignant dans le développement d'un groupe-classe efficace.

Figure 19-2
Rôle de l'enseignant: faciliter le développement de groupe.

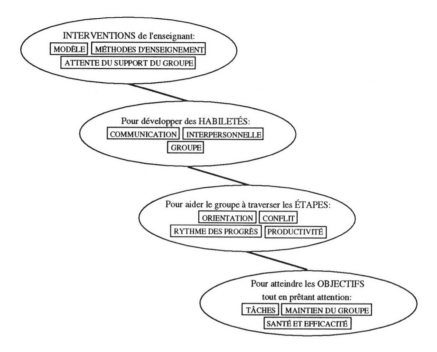

INTERVENTIONS QUI CONTRIBUENT À L'EFFICACITÉ DU GROUPE

Les groupes passent à travers plusieurs stades de développement au fur et à mesure que sont mises en oeuvre les habiletés interpersonnelles et de groupe. Les trois stades généralement reconnus sont celui de la formation du groupe, le développement et de son maintien ainsi que sa fin ou le fait d'y mettre un terme. Au cours de toutes ces étapes, les efforts de groupe se concentrent sur la réalisation des objectifs scolaires, la construction d'un groupe fort, et l'adaptation au changement à la lumière de tâches particulières ou des besoins individuels et du groupe. Le «modèle de comportement» que fait voir le maître et les interventions destinées au développement interpersonnel et

145

du groupe garderont leur validité tout au long de la vie du groupe. N'oubliez pas, cependant, que chaque groupe sera différent en ce qui a trait aux caractères et aux besoins.

Voici une liste d'interventions qui accompagnent les étapes de développement du groupe.

Stade 1: Naissance du groupe. À cette étape, le maître joue un rôle de modèle en montrant quels sont les comportements qu'il attend des membres de la classe. Voici des interventions qu'il est approprié de mettre en marche le plus tôt possible dans la formation d'un groupe.

1) Activités permettant de se connaître, telles que les présentations, le port de cartes affichant le nom, et des jeux qui ont pour but de «briser la glace»;

2) Information sur le programme (ou cours), par exemple les objectifs, le contenu, l'évaluation;

3) Souligner les règles (institutionnelles, établies par le maître);

4) Activités permettant de se faire connaître au départ;

5) Activités du maître qui fait savoir les caractéristiques individuelles attendues;

6) Énoncer les attentes de support pour une évolution individuelle;

7) Employer des méthodes et des activités d'enseignement qui encouragent l'empathie, l'ouverture, la confiance, le respect, l'acceptation, le risque, la coopération, le partage du leadership, donner et recevoir du «feedback»;

8) Activités qui enseignent et font pratiquer les habiletés interpersonnelles et de communication;

9) Amorcer et pratiquer les rôles de leader et de membres du groupe;

10) Présenter et pratiquer l'animation du groupe de manière efficace.

Stade 2: Développer et maintenir le groupe. Une période de conflit suivie d'une période de productivité caractérise ce stade intermédiaire du développement du groupe. L'attention devrait porter sur des points tels que la connaissance mutuelle et la confiance envers les autres, les communications exactes et non ambiguës, l'acceptation des autres et le support qu'on leur apporte, et une technique de résolution de problèmes constructive. Les habiletés de groupe devraient toujours continuer d'être enseignées, pratiquées et discutées. Il faut prêter une attention soutenue aux habiletés personnelles, interpersonnelles et de groupe. Les interventions suivantes sont appropriées au cours de ce deuxième stade:

1) Activités qui encouragent le fait de se faire connaître et l'ouverture;

2) Activités qui mènent à l'établissement de normes positives et constructives;

3) Activités qui encouragent les habiletés de participation telles que l'écoute, l'interaction, la recherche et le partage de l'information, la volonté de retenir son jugement, d'inclure les autres, d'encourager, de clarifier, de résumer et de risquer;

4) Activités qui raffinent les habiletés interpersonnelles de la paraphrase, de la vérification des perceptions, de la description des comportements, de la description des sentiments, et celles qui consistent à donner et recevoir du «feedback»;

147

5) Activités à travers lesquelles les tâches et les rôles du leader et des membres du groupe peuvent être appris et pratiqués;

6) Pratiquer la notation et la façon de rapporter de manière exacte et sensible les discussions du groupe;

7) Activités permettant d'apprendre et de pratiquer l'établissement d'objectifs de groupe (ou individuels) à court terme et à long terme;

8) Activités qui mettent l'accent sur le leadership, la coopération, la cohésion et la recherche du consensus, par opposition à la compétition;

9) Activités permettant d'apprendre et de pratiquer le «brainstorming», la conversation dirigée et la résolution de problèmes (incluant des sous-habiletés telles que l'hypothèse, la catégorisation, la comparaison, le contraste et l'interprétation);

10) Activités permettant d'apprendre et de pratiquer les habiletés de négociation telles que l'écoute, l'initiative, l'analyse, le diagnostic, l'interprétation, la critique, l'acceptation et le compromis;

11) Veiller à l'efficacité tant individuelle qu'à celle du groupe au cours de toutes ou de la plupart des activités de groupe. Prêter attention aux habiletés telles que solliciter, recevoir du «feedback», observer systématiquement et sans porter de jugements, et s'arranger pour obtenir et utiliser les données.

Stade 3: Se préparer à mettre un terme au groupe. Préparer le groupe à terminer ses activités peut, à vrai dire, commencer assez tôt au cours de sa vie. Au cours de la période finale, le maître souligne l'importance de transférer ses habiletés à des situations interpersonnelles et de groupe auxquelles on fera inévitablement face à l'avenir. On peut minimiser les sentiments et les comportements négatifs que soulève la perspective de mettre un terme au groupe en utilisant les interventions suivantes:

1) Activités qui rappellent et révisent les expériences de groupe telles les réussites individuelles et de groupe et la résolution de certains problèmes;

2) Activités qui aident le groupe à entrevoir la fin comme une maturité annonçant une évolution future dans de nouveaux groupes;

3) Activités qui identifient les habiletés individuelles et de groupe qui peuvent se transférer à d'autres groupes;

4) Activités qui conduisent à l'identification positive des points forts et des qualités ou habiletés qui doivent être acquises ou maîtrisées;

5) Activités qui identifient des façons dont le groupe actuel peut continuer à fournir du support aux membres;

6) Activités qui font pratiquer l'indépendance et l'interdépendance.

CONCLUSION

Les habiletés interpersonnelles (et de groupe)... nous aident à évoluer et à nous développer socialement et intellectuellement, à bâtir une identité personnelle positive et cohérente, à sentir que nous sommes fermement en contact avec la réalité, et à acquérir et à maintenir une santé physique et psychologique. Les habiletés interpersonnelles sont également essentielles au bien-être de la société dans laquelle nous vivons. L'évolution humaine et la survie reposent intimement sur notre habileté à initier, développer et stabiliser nos relations avec les autres.

De plus, notre interdépendance nous force à être habiles dans la construction et le maintien de relations interpersonnelles productives[5].

Nous avons souligné l'importance du développement
d'habiletés interpersonnelles et de groupe dans la formation des
maîtres; nous avons décrit les habiletés nécessaires, et nous
avons présenté des suggestions pour les incorporer aux activités
en classe. Les travaux pratiques de réflexion qui suivent vous
donneront l'occasion d'examiner vos expériences de groupe et
de pratiquer certaines habiletés qui vous permettront, au cours
de votre formation à l'enseignement, de tirer le maximum de
profits de votre appartenance à un groupe de pairs.

EXERCICES RÉFLEXIFS ET RECHERCHE DE SOLUTIONS

1. Les membres d'un groupe se comportent de différentes façons.
   a) Prenez cinq minutes pour faire une liste des sortes de participa-
      tion que vous avez remarquées dans les groupes;
   b) Partagez votre liste avec deux autres personnes et préparez une
      liste conjointe;
   c) Joignez votre trio à un autre trio. Combinez vos listes à nouveau;
   d) Rapportez votre liste de comportements de participation à tout le
      groupe du séminaire entier.
2. Pensez à un groupe auquel vous avez appartenu récemment. Comment les différents membres du groupe agissaient-ils: lorsque le
   groupe fut formé; durant la période intermédiaire du développement
   du groupe; lorsque le groupe était sur le point de se disperser?
   Pourquoi pensez-vous que les gens se comportaient de ces façons?
   Discutez ces sujets avec votre groupe de formation des maîtres.
3. Recherchez les instruments qui peuvent être utilisés pour veiller à
   l'efficacité du groupe. Partagez trois instruments avec vos collègues
   de classe. Discutez les similitudes et les différences des instruments.
   Essayez certains des instruments au cours des activités du séminaire
   et discutez les résultats avec votre groupe de séminaire.
4. Y avait-il des conflits dans les groupes auxquels vous avez
   appartenu? Sans donner de noms, décrivez le conflit. Le conflit
   a-t-il été résolu? Si oui, quels facteurs ont contribué à une solution
   efficace? Si non, qu'est-ce qui aurait pu être fait différemment
   pour obtenir une solution satisfaisante? Quels furent les effets à
   long terme? Le conflit refit-il surface plus tard dans la vie du
   groupe? Si oui, que se passa-t-il? Qu'aurait-il pu survenir? Discutez
   ces questions avec votre groupe de séminaire.

5. Joignez cinq pairs pour discuter la question . Quelles caractéristiques participantes mènent à un groupe sain et efficace? Rapportez vos opinions à votre groupe de séminaire. Discutez la santé de votre groupe de séminaire, en utilisant les caractéristiques que vous avez décrites.

6. Formez un groupe de six pour aborder la question suivante: Que pensez-vous que vos collègues de classe puissent faire pour vous donner du support dans votre évolution du concept de soi et de l'apprentissage? Présentez vos idées à votre groupe de séminaire. Faites une liste des façons dont votre groupe de séminaire pourrait accroître son support à ses membres.

7. Formez des groupes de six et faites une séance de «brainstorming» sur les différentes utilisations d'un cintre. Utilisez les grandes lignes fournies dans ce chapitre sur le «brainstorming». Rapportez les résultats à la classe. Faites le total du nombre d'utilisations que la classe est capable d'identifier. Discutez l'efficacité de votre processus de «brainstorming».

8. Formez un groupe de conversation dirigée de six et tentez d'obtenir un consensus sur le sujet suivant: «Doit-on s'attendre à ce que tous les enseignants participent à la supervision de l'heure du lunch?» Rapportez vos conclusions à la classe. Discutez du processus mis en oeuvre dans un groupe de conversation dirigée avec votre groupe de séminaire.

9. Par groupes de quatre, identifiez les objectifs de votre groupe de séminaire. Utilisez les catégories suivantes: objectifs établis par le maître ou l'institution; objectifs établis par le programme; objectifs établis par le groupe-classe. Rapportez vos idées au groupe de séminaire. Avec le grand groupe, clarifiez les objectifs de groupe et discutez comment votre groupe peut supporter les autres petits groupes afin d'atteindre ces objectifs.

10. Dans votre groupe de séminaire, identifiez un problème important que vous avez rencontré au cours de votre stage. Avec un partenaire, utilisez les étapes et les habiletés de résolution efficace de problèmes pour développer une solution au problème. Comparez votre solution avec celles des autres pairs. Discutez les raisons pour lesquelles différents pairs ont créé différentes solutions pour le même problème.

Notes

1. Schmuck, R. A., et Schmuck, P. A. (1983).*Group processes in the classroom*. 4e édition. Dubuque: Wm. C. Brown, pp. 8-9.

2. Stanford, G. (1977). *Developing effective classroom groups: a practical guide for teachers*. New York: Harper & Row.

3. Luft, J. (1969). *Of human interaction*. Palo Alto: National Press Books.

4. *Ibid.*, p. 13.

5. Schmuck & Schmuck, *op. cit.*, p. 13.

Chapitre 20

CONVERSER ENTRE ENSEIGNANTS, ET NAÎTRE SUR LE PLAN DE LA PRATIQUE PROFESSIONNELLE

Meguido Zola

MEGUIDO ZOLA *était tout à fait inconnu jusqu'en 1939. Puis, il est né. Même là, il continua de n'être connu que par certaines personnes. Aujourd'hui, par contre, on ne le prend que rarement pour quelqu'un d'autre. Meguido, dont le nom signifie «conteur» en hébreu, est fier d'avoir été enfant. Lorsqu'il regarde son passé, par contre, il considère qu'il a atteint un sommet à l'âge de sept ans et que, depuis lors, il décline: sept ans, c'est le début de la fin. Meguido Zola est l'auteur de nombreux livres pour enfants, dont plusieurs n'ont pas été publiés – et certains non encore écrits. Le point culminant de son travail scolaire, c'est le langage des enfants, l'apprentissage du langage et la littérature enfantine. Il enseigne à l'Université Simon Fraser.*

Mon grand-père, un rabbin et un conteur d'histoires, aimait raconter que le jour où Pythagore réussit à démontrer le théorème du carré de l'hypoténuse, il sacrifia mille boeufs à Apollon; depuis ce jour, ajoutait mon grand-père avec un sourire malin, lorsque quelqu'un découvre une nouvelle idée, tous les boeufs du monde se mettent à trembler.

Aux yeux des enseignants chevronnés, les implications de cette parabole pour l'éducation d'aujourd'hui ne sont que trop évidentes. De tous côtés, le flot des connaissances théoriques et pédagogiques augmente à un rythme fou. Les conditions sociales changent et deviennent de plus en plus complexes. Le public, sans savoir ce qu'il veut, si ce n'est en l'exprimant dans des termes très généraux et abstraits, se tourne vers l'éducation pour trouver des solutions à chaque plaie sociale.

Tout ceci mène à de l'expérimentation et à du rafistolage en éducation. À leur tour, les enseignants sont bombardés d'activités de développement professionnel qui touchent tous les sujets possibles. Les universités, les commissions scolaires et les différentes organisations d'enseignants (sans parler des groupes d'intérêt spéciaux telles les maisons d'édition en éducation) rivalisent les uns avec les autres pour se disputer cette denrée très populaire, rare, et non renouvelable qu'est le bénévolat des enseignants.

Ce n'est pas surprenant que partout, à travers le monde, les boeufs et les enseignants tremblent. Mais quelle est la valeur de toute cette activité de développement professionnel pour les enseignants et les étudiants-maîtres? Les recherches les plus récentes sur ce sujet confirment mes observations: «En général, il semble que le développement professionnel équivaut à des ateliers... [en effet] le mécanisme du développement professionnel ressemble à des ateliers. Les enseignants n'ont pas dit que c'est là la bonne formule, mais simplement que c'est là la façon habituelle de faire... [Et pourtant] ils rapportent qu'ils ont appris à enseigner d'abord grâce à leur expérience et aux collègues. Il est assez symptomatique qu'ils aient classé les ateliers à un pauvre troisième rang comme facteur qui contribue à leur développement professionnel[1].»

Sonder les enseignants sur le rôle que jouent les ateliers dans leur développement professionnel, c'est les entendre nous dire largement que peu répondent à leurs besoins; ce n'est pas étonnant puisqu'en grande partie ces ateliers n'ont pas été validés par des entrées de données continues et des «feedback» de la clientèle qui doit être desservie.

Plus spécifiquement, les critiques que formulent les enseignants soulignent qu'un trop grand nombre d'ateliers portent sur le développement professionnel. On dit: c'est sans importance; c'est superficiel; c'est fragmentaire; on y considère peu ou pas du tout les différences individuelles des enseignants au plan de la compréhension, des valeurs et des besoins; et ça manque de continuité avec le développement de l'enseignant vu comme un long processus de planification de la carrière. Par voie de conséquence, les enseignants qui cherchaient de l'aide et comptaient sur le système des ateliers pour ce faire, se retrouvent le bec à l'eau.

Il doit exister une autre façon de faire. Celle que je propose ici pour compléter et mettre en valeur les modèles existants se rattache à une forme de développement de l'enseignant d'un ordre assez différent: un développement qui n'est pas superposé comme de l'extérieur, mais qui favorise l'évolution à partir de l'intérieur; un développement qui n'est pas fondé sur le tout-ou-rien, de nature fragmentaire et superficielle, mais qui soit plutôt holistique et intégrateur; une façon de faire qui redonne à l'enseignant la responsabilité de son développement professionnel, du choix des objectifs, de la prise de décision et de l'évaluation.

La recherche montre, et l'expérience des enseignants le confirme, qu'une des meilleures façons d'apprendre davantage sur l'évolution et le développement de l'enfant, le programme, l'apprentissage et l'enseignement, tant pour des enseignants débutants que pour des enseignants expérimentés, c'est à travers l'examen de sa propre compréhension et de ses propres pratiques éducatives. Comme le conseillait mon grand-père à ceux qui lui demandaient comment on peut obtenir la sagesse: «Écoutez toujours soigneusement ce que vous disent ceux qui savent... et si quelqu'un en venait à vous écouter, écoutez très attentivement ce que vous dites.»

Jusqu'à un certain point, les enseignants peuvent s'engager par eux-mêmes dans ce processus d'analyse et d'évaluation. À certains moments, bien sûr, ils le font machinalement tous les jours. Cependant, aux fins de soutenir ce processus et de le renouveler constamment grâce au dynamisme qui naît au contact d'un autre point de vue, la plupart des enseignants trouvent qu'ils ont besoin du dialogue avec un ou plusieurs collègues et qu'ils en tirent profit.

La recherche met en évidence l'importance qu'attachent les enseignants à cette forme de développement professionnel continu. «Il n'est pas étonnant que les enseignants s'accordent à dire que le meilleur développement professionnel possible reposerait sur une base individuelle avec un collègue pris entre tous, sympathique et expérimenté 'qui vous aiderait en tenant compte de votre style, de votre classe, de vos élèves'...[2]»

En pratique, cependant, peu d'enseignants peuvent compter sur des périodes régulières, continues, systématiquement planifiées et encouragées, aux fins de réfléchir les uns avec les autres, de converser entre eux, de se livrer à des observations et d'apprendre les uns des autres.

La conséquence malheureuse de ce manque de contact avec les autres enseignants comporte au moins deux volets. Les enseignants se privent d'abord d'une source de développement professionnel continu, puissante et très riche. Puis, cela engendre chez un grand nombre d'enseignants ce que Arthur Jersild appelle «une grande solitude, une solitude liée au fait que (parmi les enseignants comme parmi les autres) il existe si souvent peu de compréhension mutuelle, ou de communauté de sentiments avec nos associés ou même avec nos "amis"...[3]» Cette solitude contribue grandement au stress, à l'aliénation et, finalement, à l'épuisement professionnel.

Mais il existe une solution. La conversation entre enseignants est un processus de développement professionnel qui a été élaboré et éprouvé avec des étudiants-maîtres et des enseignants en fonction. Il s'agit d'un forum de réflexion et de dialogue ouvert, flexible et individualisé. Il fournit aux participants un cadre psychologiquement sûr et à l'abri de l'évaluation, permettant de réfléchir, d'analyser et d'articuler leurs croyances relatives à l'éducation, en même temps que leur compréhension des problèmes et leur pratique.

La conversation entre enseignants poursuit deux buts: d'abord, engager les enseignants qui y participent dans une analyse systématique des buts et des intentions qui les inspirent dans leur profession, dans leurs pratiques et leurs expériences quotidiennes en classe; et ensuite, fournir aux participants un support mutuel et susciter le partage de l'intelligence qu'on a des situations, d'intuitions et d'idées.

La façon de faire alors obéit à un processus qui comporte deux volets interdépendants: l'auto-analyse et l'enquête mutuelle. Les participants s'engagent dans ce processus en travaillant parfois seuls, parfois en petits groupes, et parfois avec le groupe tout entier. Ils travaillent en comptant sur le support de plusieurs personnes: d'abord, celui d'un collègue particulier avec qui ils ont choisi de former équipe pour la durée du processus; puis, et à un moindre degré, celui de tous leurs pairs du groupe pris comme un tout; et enfin, celui d'un leader qualifié qui prend la responsabilité du groupe. Le leader du groupe agit principalement comme initiateur, catalyseur et facilitateur du processus; il peut aussi arriver exceptionnellement qu'il agisse à titre de personne-ressource sur des sujets substantiels tels que l'organisation de la classe, les méthodes d'enseignement, le matériel, etc.

Il n'existe évidemment pas qu'une seule façon de faire fonctionner la conversation entre enseignants. Le processus variera selon les participants, leurs buts et les circonstances particulières. Mais peu importe les variations, le processus devrait comporter trois parties menant à une opération cyclique.

Au cours du programme de formation des maîtres, le processus de conversation entre enseignants devrait comporter:

- des périodes brèves, régulières, quotidiennes ou hebdomadaires permettant aux étudiants-maîtres: de réfléchir, d'analyser et d'écrire leurs observations, conclusions et questions dans un journal qu'ils peuvent partager avec un coéquipier ou un leader; de poursuivre des lectures professionnelles;
- une série de demi-journées ou de périodes plus courtes pour visiter ou observer des collègues en classe;
- Plusieurs journées pour participer aux discussions et aux tâches du groupe entier.

C'est au cours de la première partie du processus que l'on trouve l'aspect majeur (et très important) du travail des participants. Chaque jour ou chaque semaine, de diverses façons, les

157

étudiants-maîtres observent et consignent par écrit des aspects bien sélectionnés de la vie dans leurs classes, et prennent alors du recul pour en analyser les données. Ce travail courant leur permet d'acquérir une plus grande compréhension de ce qui se passe dans leurs classes, d'identifier et de résoudre les problèmes, de formuler de nouveaux objectifs, d'établir de nouvelles orientations, et ainsi de suite.

Cette réflexion personnelle systématique est complétée au cours de la seconde partie du processus. Ici, les étudiants-maîtres forment des équipes dans le but de s'entraider entre pairs en visitant et en observant leurs classes, fréquemment et régulièrement, au cours d'une longue période de temps. De cette façon, chacun bénéficie d'un conseil avisé et d'une seconde opinion fournie par un collègue qui est tout à fait familiarisé avec les réalités de la classe et qui ne se trouve pas entravé par le stress qui survient au moment de l'enseignement, obscurcissant habituellement les dédales de la vie et des événements en classe.

La troisième partie du processus – discussions et tâches connexes reliées au groupe dans son entier – fournit aux participants un forum plus large où ils peuvent réfléchir et discuter leurs pratiques éducatives et ce qu'ils en comprennent.

RÔLE DES QUESTIONS RÉFLEXIVES

La plus grande partie du travail dans les rencontres de conversations entre enseignants commence par des questions auxquelles les participants réfléchissent, répondent par écrit et discutent avec leurs partenaires ou avec de plus grands groupes. Les questions peuvent servir de points de départ et de points de retour à une grande variété d'autres dialogues. Le but de ces conversations entre enseignants, c'est d'assurer un partage des pratiques éducatives et d'échanger entre enseignants sur la compréhension que chacun en a. Les outils du processus sont les questions; le succès du processus dépend alors de la qualité de ces questions.

Réflexion individuelle

Les questions devraient être substantielles, profondes et significatives. Elles sont ouvertes, encouragent la recherche et permettent une grande variété de réponses possibles. Les questions peuvent être générales (comme dans le premier exemple qui suit), ou toucher de manière spécifique un aspect particulier de l'organisation de la classe, le programme ou l'interaction (comme dans le second exemple). Les questions requièrent des participants qu'ils présentent une synthèse de leur travail d'observation et d'analyse, et elles peuvent conduire (comme dans le troisième exemple), à une planification du changement, à la résolution de problèmes et à la prise de décision.

EXERCICE 20.1

Exemple I

Pensez à la journée d'enseignement que vous venez de compléter, ou pensez à ce qu'est une journée typique d'enseignement pour vous. Maintenant, prenez quelques instants pour vous rappeler et noter quelques circonstances significatives de la journée. Puis, attardez-vous aux questions suivantes:

1. Qu'avez-vous fait seulement un peu, que vous auriez aimé faire beaucoup plus?
2. Qu'est-ce qui vous a empêché de le faire?
3. Qu'avez-vous fait beaucoup, que vous auriez aimé faire bien moins?
4. Qu'est-ce qui vous a empêché de le faire?

Exemple II

Pensez à une semaine d'enseignement typique.

1. Qu'avez-vous enseigné par vous-même individuellement au cours de cette semaine?
2. Qu'avez-vous enseigné avec l'aide des autres (par exemple, des étudiants de votre classe, ou des étudiants d'une autre classe, un parent, un assistant en classe, une personne-ressource du milieu, ou un autre enseignant)?
3. Identifiez certaines différences pour vous entre ces deux situations?

Exemple III

Pensez à nouveau à la journée d'enseignement considérée dans l'exemple I.

1. Comment évalueriez-vous votre journée? Faites une liste d'une douzaine de mots ou de phrases qui caractérisent le plus exactement ses aspects positifs et ses aspects négatifs.
2. Quels facteurs ont contribué le plus à la façon dont vous avez évalué votre journée? Faites une liste de certains de ces facteurs et classez-les par ordre d'importance.
3. Quel pas pourriez-vous faire et quelles démarches entreprendrez-vous pour voir à ce que vos journées se situent plus près du côté positif du continuum?

Dialogue réfléchi

Le but principal des questions précédentes était d'encourager la réflexion individuelle. Cependant, les questions peuvent également servir de base au dialogue, comme dans les exemples de l'exercice 20.2. Dans un dialogue, il est important de créer une atmosphère de compréhension et d'acceptation où l'on ne se juge pas mutuellement, ce qui permet aux participants de découvrir et de divulguer des données personnelles significatives. Grâce à cette conscience de soi et à l'ouverture personnelle, on en vient à cultiver un esprit non possessif, le risque, une plus grande compréhension et un plus grand support... et ainsi, la croissance.

Au cours de l'exercice simple qui suit, les étudiants-maîtres dialoguent deux à deux, peut-être en présence d'un observateur du processus. Les partenaires, chacun à leur tour, répondent aux énoncés en les complétant, selon l'ordre où ils apparaissent. On encourage la conversation sur le sujet; les énoncés ne servent en fait que de points de départ à un vaste dialogue.

EXERCICE 20.2

À l'aide d'un partenaire, utilisez ces phrases incomplètes comme points de départ d'une discussion. Choisissez une phrase pour commencer le dialogue, puis discutez et comparez vos expériences.

1. Je veux être un enseignant parce que...
2. Je dirais que je possède les points forts suivants comme enseignant...
3. Mes faiblesses comme enseignant sont...
4. La classe avec laquelle je travaille et enseigne...

5. Certaines choses qui surviennent dans mes classes et que j'aime beaucoup sont... /que je n'aime pas sont... /à propos desquelles je ne sais pas vraiment comment je me sens sont...

6. La façon dont je me perçois comme (enseignant telle discipline) est...

7. Lorsque je pense à tout ce qu'on attend de moi comme (enseignant telle discipline), je...

Discussion réflexive de groupe

La troisième partie du processus implique une discussion à l'intérieur d'un plus grand groupe de pairs. Elle peut également inclure un travail dont le but est de faciliter et d'encourager l'interaction entre les participants; par exemple, s'entraîner à écouter sans interrompre, à répondre aux sentiments avec empathie, à formuler des questions ouvertes et à clarifier les différentes idées émises.

Voici une question que soulèvent souvent les étudiants-maîtres: «Les enseignants peuvent-ils être des facteurs de changement?» L'exercice suivant fut préparé pour fournir aux étudiants-maîtres un forum où ils puissent commencer à explorer cette question en profondeur. On propose ici cet exercice pour montrer comment une conversation entre enseignants peut stimuler une grande variété d'activités réfléchies.

EXERCICE 20.3

L'exercice débute par une lecture à haute voix du livre en image de Charles Keeping, *Wasteground Circus* (Londres: Oxford University Press, 1975).

Le livre commence ainsi: «Les terrains abandonnés sont apparus lorsque les vieux chevaux, manufactures et entrepôts du centre de la ville furent démolis. Deux garçons, Wayne et Scott, aimaient jouer là. Puis, un jour, un cirque s'arrêta sur le site...»

L'histoire se poursuit, en racontant la préparation et la performance excitante du cirque qui eut lieu au cours d'un seul après-midi – clowns, lions dressés, acrobates et chevaux fringants.

Le livre conclut: «Par la suite, la vie n'a plus jamais été la même, mais seulement pour un des garçons, Scott. Scott se souviendra toujours de la fois où le cirque était venu en ville; et il verra toujours le terrain abandonné comme une place où tout peut arriver.»

161

Le but de l'histoire est, entre autres, de toucher les enfants, d'éveiller leurs sentiments les plus profonds et de changer quelque chose à leur vie.

En réponse à cette histoire, discutez les questions suivantes:

1. Pensez-vous que votre travail au cours d'une journée, d'une semaine ou d'un mois avec une classe d'enfants touche tous les enfants? Toujours? Parfois? Jamais? Au même niveau? De façons différentes?
2. Si non, pourquoi pas? Où s'en trouve la raison? Est-elle fonction de vous, ou de l'expérience scolaire, ou peut-être de la nature des enfants?
3. Que vous réussissiez ou non, comment travaillez-vous pour rejoindre les enfants? Que faites-vous? Pourquoi?
4. Si vous n'arrivez pas à rejoindre tous les enfants, comment abordez-vous ce problème?

À la suite de cet exercice, au cours de sessions subséquentes, les étudiants-maîtres s'engageront peut-être dans une variété d'activités et d'analyses pour surveiller et évaluer leurs interactions avec les enfants. Ces activités pourraient comprendre l'observation systématique de leurs classes et celles des autres, tout une variété d'activités d'observation et de recherche de documentation, l'auto-évaluation et l'évaluation des pairs, ou l'analyse des résultats sur une base individuelle et en groupe. Les aspects des interactions enseignant-élèves qui peuvent être examinés comprennent: le questionnement, la suggestion, le soutien et l'encouragement de la pensée, la réponse aux sentiments des élèves de façon empathique, et ainsi de suite.

Lorsqu'on demandait à mon grand-père, ce conteur d'histoires, quel fut l'enseignement le plus important qu'il ait jamais reçu, la leçon la plus significative qu'il ait apprise, cet éternel humaniste répondait par une parabole. Un tzaddik, ou voyant, en visite entra dans une synagogue où on l'avait invité à prononcer le sermon du soir. En montant dans la chaire, il demanda aux fidèles rassemblés: «Savez-vous de quoi je vais parler?» On entendit en choeur des «Non» et «Nous n'en avons aucune idée». «Si vous ne le savez pas, dit le tzaddik, à quoi bon vous parler?» Sur ce, il descendit de la chaire et retourna chez lui. Le soir suivant, le tzaddik réapparut et demanda à nouveau: «Savez-vous de quoi je vais parler?» «Oui» répondirent cette fois les fidèles devenus plus prudents. «Eh bien, puisque vous le savez déjà, répliqua-t-il, je n'ai pas besoin de vous le dire!» Et, une fois de plus, il descendit de la chaire et retourna chez lui. Le troisième soir, le tzaddik demanda à nouveau: «Savez-vous de quoi je vais parler?» Les fidèles avaient longuement préparé leur réponse: «Certains d'entre nous le savent, dirent-ils, et certains d'entre nous ne le savent pas.» «Dans ce cas, répliqua le tzaddik, que ceux qui le savent le disent à ceux qui ne le savent pas!» et il quitta.

Cette parabole résume la clé de la différence qui existe entre le modèle individualisé d'aide de soi-même à sa propre croissance comme enseignant et le développement professionnel habituel qui est offert sous forme d'ateliers. J'ai testé sur le terrain ce modèle de conversations entre enseignants avec de nombreux groupes très variés au cours des ans. Certaines conclusions sur ce modèle s'imposent clairement.

Ceux qui participent à ces conversations entre enseignants rapportent de façon régulière qu'ils y trouvent une estime de soi et une confiance personnelle et professionnelle renouvelée; de nouveaux aperçus et une plus grande conscience des croyances, attitudes et valeurs; une compréhension plus profonde et plus étendue des pratiques en classe; un plus grand sens d'autonomie et de contrôle sur les circonstances professionnelles; un enthousiasme revitalisé et une «piqûre» pour l'enseignement.

Le modèle de conversations entre enseignants est fondé sur des principes éprouvés et véritables en éducation. C'est un concept simple, et en fait, facile à mettre en oeuvre. C'est un plan puissant qui peut contribuer au développement professionnel; il mérite d'être pris sérieusement en considération par ceux qui désirent devenir ce que John Dewey appelait «un étudiant de l'enseignement».

Notes

1. Flanders, Tony (1980, Décembre). The professional development of teachers: A summary report of a study done by the P. D. Division of the B.C.T.F. Dans *BCTF Newsletter, 20,* Special Edition, p. 6.
2. *Ibid.*
3. Jersild, Arthur (1955). *When teachers face themselves.* New York: Teachers College Press, p. 9.

Chapitre 21

RÔLE DE LA CONSULTATION AU COURS DU STAGE D'ENSEIGNEMENT

Sol E. Sigurdson

SOL E. SIGURDSON enseigne au Département d'enseignement secondaire à l'Université d'Alberta depuis vingt ans. Il a participé à des expériences de formation des maîtres à tous les niveaux. Il y a dix ans, il développait, grâce à des recherches, deux expériences de stage initial qui font maintenant partie du programme régulier du Département. Tout en agissant à titre de coordonnateur du programme de formation des maîtres, il a effectué des recherches et conduit des ateliers de formation à la supervision clinique auprès de maîtres-hôtes et de consultants de l'université.

On a utilisé plusieurs mots pour désigner l'aide et le support qu'on donne aux étudiants-maîtres en situation de stage d'enseignement: supervision, orientation, consultation, avis. Chacun a ses connotations propres. J'aime le mot consultation parce qu'il suggère que l'étudiant-maître recherche de l'aide, du support ou des conseils auprès d'un consultant. Une autre connotation est celle de partage, comme dans les entreprises mutuelles. Dans leurs rôles de consultants envers les étudiants-maîtres, le maître-hôte et le superviseur de l'université ou du module peuvent agir de différentes façons. J'estime qu'il n'existe pas une approche qui soit la meilleure dans ces activités.

Ce chapitre présente certaines approches en consultation que peuvent prendre les maîtres-hôtes et les superviseurs de l'université ou du module. Il devrait vous aider, à titre d'étudiant-maître, à mieux comprendre la complexité du processus de consultation, et la nature du rôle et des responsabilités qu'assument vos superviseurs lorsqu'ils travaillent avec vous.

TÂCHES DE CONSULTATION RELIÉES À LA SUPERVISION DE L'ÉTUDIANT-MAÎTRE

Il est avantageux de considérer la consultation comme comportant quatre sous-tâches:

1) *Identifier les situations de classe* et les expériences, et apporter des modifications à ces situations au fur et à mesure que l'étudiant-maître progresse (même lorsqu'un superviseur exige que la prochaine leçon soit limitée à dix minutes pour l'enseignement au groupe entier, il exécute cette sous-tâche);

2) *Observer* des sessions d'enseignement, même prises au hasard;

3) S'*entretenir* avec l'étudiant-maître lorsque l'occasion se présente;

4) *Évaluer* chez l'étudiant-maître, formellement ou de manière informelle, son habileté à fonctionner dans sa situation d'enseignement particulière et dans les futures situations de classe.

Identifier les différentes façons dont les maîtres-hôtes et les superviseurs de l'université accomplissent ces sous-tâches, c'est définir leur approche en consultation.

LA CONSULTATION DANS LE STAGE D'ENSEIGNEMENT DE L'ÉTUDIANT-MAÎTRE: APPROCHES

On identifie quatre modèles idéaux de consultation: la reproduction d'un modèle, l'animation (*coaching*), la résolution de problèmes et la consultation ethnographique. Je vais d'abord définir chacune de ces approches en suivant les quatre sous-tâches que j'ai préalablement identifiées; puis je décrirai comment vos superviseurs peuvent les utiliser.

166

La **reproduction d'un modèle** (*modelling*) fait référence à une approche où le consultant décrit ou propose des standards particuliers d'enseignement que doit suivre l'étudiant. On place ici l'accent sur la définition des activités particulières que doit exécuter l'étudiant de façon à ce qu'il adhère au modèle attendu ou exécute les tâches désirées dans sa situation d'enseignement. L'activité définie peut durer entre cinq minutes et toute la durée des activités de *practicum*.

Cette approche se caractérise par l'élaboration de listes qu'on utilise pour faire des observations structurées. Bien qu'on encourage les questions de l'étudiant-maître au cours des entretiens (spécialement sur les points de techniques), la communication est surtout à sens unique: du consultant à l'étudiant-maître. L'évaluation est fondée sur le degré de réussite de l'étudiant-maître eu égard aux standards établis par le consultant.

Le désavantage majeur de cette approche repose sur la confusion qui existe entre les deux significations du mot «modèle». Il signifie soit «une pratique exemplaire» soit, l'«imitation d'une pratique». Nous aimerions penser que la pratique que nous imitons est exemplaire, mais ce n'est pas toujours le cas. Malgré tout, l'approche qui consiste à imiter un modèle doit être considérée comme importante dans l'apprentissage de la tâche complexe qu'est l'enseignement.

Le modèle **de coach,** en tant qu'approche du consultant, est fondé sur la croyance attrayante que l'enseignement peut s'apprendre à travers une pratique guidée. Le consultant ne présente pas un modèle particulier d'enseignement mais il cherche à aider les étudiants-maîtres à apprendre à travers une expérience pratique. La préparation de l'étudiant-maître à faire face à des stages en classe se fait de façon très générale à l'université; aussi, on lui fournit durant ses activités de *practicum*, l'occasion de connaître toute une variété de situations d'enseignement en classe dans le but de lui faire connaître le plus grand éventail de pratiques possible.

Aujourd'hui, le terme «**entraînement**» (*coaching*) peut suggérer une analyse hautement technique, mais la connotation que je veux transmettre est celle d'un support qui prend la forme brève d'encouragements, de suggestions et de rappels, et ce, au fur et à mesure que les leçons progressent. L'approche d'entraînement (*coaching*) donne peu d'occasion, au cours de l'horaire scolaire chargé, de s'arrêter à des analyses prolongées. Les observations sont faites de façon informelle et sont continuellement entrecoupées de courts entretiens, souvent tenus en plein coeur de l'action. Dans toute situation particulière, les critères d'évaluation reposent sur ce que le consultant pense qui va fonctionner et non pas sur un modèle intentionnellement explicite. Différentes choses fonctionnent dans différentes classes. Des quatre approches à la consultation, celle-ci est de loin la moins théorique ou la moins philosophique relativement à l'orientation. L'accent est mis beaucoup plus sur le fait d'aider l'étudiant-maître à réussir son stage. Le consultant-animateur est toujours là, aidant et exprimant son approbation, travaillant dans le domaine affectif tout comme dans les secteurs d'habiletés cognitives.

Au plan de la consultation, **l'approche de résolution de problèmes** s'applique en priorité à structurer des situations spéciales autour de problèmes auxquels doit faire face l'étudiant-maître. Par exemple, si l'étudiant-maître éprouve de la difficulté à utiliser le tableau, on lui demandera de dispenser une leçon dans laquelle il devra se servir du tableau. Le consultant qui utilise cette approche fera des observations détaillées; il utilisera des feuilles de codage, un vidéo, ou des grilles de fréquence de différentes sortes. En général, les observations se concentrent sur des problèmes particuliers qui sont par la suite discutés au cours d'entretiens qui se déroulent entre le consultant et l'étudiant, ce qui permet de se concentrer sur des problèmes qui sont «sur la table». On encourage l'étudiant-maître à parler et à fournir le plus possible d'information. Finalement, les critères d'évaluation sont préparés par l'étudiant. C'est l'étudiant-maître qui connaît le problème, qui doit le prendre en charge et, éventuellement, déterminer le moment où, pour lui, ça ne représentera plus un problème. Bien que ce processus soit inévitablement influencé par le consultant, l'objectif visé, c'est l'auto-évaluation de l'étudiant-maître.

L'approche ethnographique consiste à se concentrer sur une compréhension sensée de ce qui se passe en classe, du point de vue de l'étudiant-maître. Elle plaide en faveur de la participation de l'étudiant à une grande variété de situations différentes qui l'amène à obtenir, au cours de son stage, une bonne compréhension de ce que c'est, l'enseignement. Les observations que fait le consultant sur les activités en classe sont suffisamment détaillées pour permettre la re-création de situations particulières au cours d'entretiens avec l'étudiant-maître, en vue d'analyser les leçons. L'évaluation de la leçon se fait à partir de la façon dont la situation s'est développée en classe, et en se demandant si ces activités répondaient à cette situation particulière.

Les différents styles de consultants et leur démarche spécifique sont résumées dans la Figure 21-1.

RÔLES DU MAÎTRE-HÔTE ET DU SUPERVISEUR DE L'UNIVERSITÉ

Après avoir exploré brièvement les quatre approches en consultation, je vais maintenant vous demander d'examiner les rôles des principaux acteurs autres que vous-même: ceux du maître-hôte et du superviseur de l'université. Ces deux personnes cherchent à améliorer votre compréhension d'une classe et votre performance dans l'enseignement; mais leurs approches en consultation peuvent être différentes, étant donné leurs types de relations avec vous et leur vision du stage. Ces deux consultants ont des occasions d'apporter une contribution unique, en partant de leurs perspectives différentes. Voici mes hypothèses: (1) les maîtres-hôtes feraient mieux d'utiliser l'approche de l'imitation d'un modèle et de l'animation et (2) les représentants facultaires feraient mieux d'utiliser l'approche de résolution de problèmes et la consultation ethnographique. Comme je vais l'expliquer,

169

Tableau 21-1
Différents types de consultation

TYPES DE DÉMARCHE

Identification des sous-tâches	Démarche de type reproduction d'un modèle	Démarche de type "coach"	Démarche de type résolution de problème	Démarche de type ethnographique
Situation d'enseignement	Structurée par le consultant	Enseignement courant	Structurée selon un problème	Enseignement courant modifié par le consultant
Observation	Liste de contrôle	Informelle	Centrée sur le problème	Interprétation détaillée
Entretien	Conduit par le consultant	Échanges informels	L'étudiant fournit la matière et prend l'initiative	Collaboration en profondeur
Évaluation	Le modèle définit le critère	Fondée sur la réussite des buts de l'enseignement	Auto-évaluation par l'étudiant-maître	Description de la situation par le consultant

différents rôles commandent différentes approches. Trop souvent, on n'attribue qu'un seul rôle à la consultation, spécialement du point de vue des étudiants-maîtres. Si vous êtes au fait des différentes formes d'aide et de support que l'on peut vous fournir, alors vous serez mieux à même d'apprécier les activités de consultation et d'en bénéficier.

Le maître-hôte et la reproduction d'un modèle

Je crois que le maître-hôte vous donne inévitablement un modèle à suivre tout au cours du stage. Par exemple, il peut dire à l'étudiant-maître qu'au cours des trois prochaines semaines dans une unité d'enseignement, on mettra l'accent sur la Chine, que l'on s'attardera sur la période autour de 1948, qu'on visera à atteindre spécialement les objectifs 12 à 19 du guide du maître et que le livre et le matériel utilisés seront accessibles à la classe. L'enseignant pourrait suggérer que les élèves aient des cahiers de notes qu'ils devraient tenir à jour et que la classe devrait avoir deux devoirs par semaine, annotés par l'enseignant, et un test hebdomadaire qu'il faudra enregistrer en vue du bulletin. Des dizaines de suggestions quotidiennes données pour l'enseignement d'une unité mènent littéralement l'étudiant-maître à modeler sa pratique sur celle du maître-hôte. De plus, l'étudiant-maître hérite de modèles tels le plan des places en classe, un système de mérites pour les meilleurs élèves, une façon de répondre aux questions en classe, une politique sur la gomme, et ainsi de suite. Le maître-hôte assume également l'entière responsabilité du programme d'enseignement des élèves. Il n'est pas surprenant que l'imitation d'un modèle joue un rôle considérable dans le processus de consultation, que ce soit voulu ou non.

Le processus d'imitation peut être positif à plus d'un point de vue. L'étudiant-maître se trouve immergé dans un modèle d'enseignement en classe: ce modèle n'est peut-être pas exemplaire, mais il fonctionne certainement dans les circonstances actuelles. L'avantage est que l'étudiant participe à un système entièrement développé (ou du moins en partie) sans avoir à le développer. En fait, l'étudiant-maître conduit une *Audi* sans en être le propriétaire. Une classe composée de 30 élèves et d'un enseignant constitue une entité de travail compliquée; il ne faudrait pas sous-estimer les profits qu'on peut retirer en assumant une fonction qui se situe à l'intérieur de cette entité.

Le maître-hôte comme «coach»

Dans une étude informelle récente, j'ai découvert que la plupart des maîtres-hôtes identifiaient le modèle d'entraînement (*coaching*) comme celui qu'ils utilisaient le plus fréquemment en consultation. Le «coach» adopte l'approche la moins clairement définie de toutes les approches en consultation que j'ai décrites. Il encourage l'apprentissage à travers la pratique – prenant des décisions et développant des procédures au besoin. Comme dans l'approche de l'imitation d'un modèle, l'animateur ne se fonde pas sur une théorie; mais contrairement à ce qui se passe dans la situation d'imitation d'un modèle d'enseignement proposé, il ne possède pas de procédures clairement définies, ni pour la consultation ni pour l'enseignement. Le «coach» est orienté vers l'action: l'étudiant reçoit des suggestions, des trucs, du support émotionnel, tout cela dans le contexte d'une action continue. Le critère de succès est simplement la façon dont répondent les élèves. Si le «coach» encourage une approche qui fonctionne en classe, la partie est gagnée. L'approche de type *entraînement* renforce la réalité holistique de la pratique en classe plutôt que l'analyse morcelée des différentes techniques à l'intérieur du processus d'enseignement.

Les raisons qui militent en faveur du caractère approprié du modèle d'animateur en classe sont évidentes. Aucun enseignant ne pourrait donner un fondement théorique aux centaines de commentaires qu'il exprime au cours d'une journée de travail. Voici un maître-hôte qui suggère: «Essayez d'adopter une attitude plus joyeuse, plus vivante», sans même réaliser (ou se soucier) que cette recommandation représente un principe plus large de renforcement positif. En fait, si les maîtres-hôtes croyaient qu'ils doivent analyser tous leurs commentaires, ils en feraient beaucoup moins. De plus, le rythme affairé d'une journée à l'école exige qu'on procède à des améliorations suivant les besoins du moment, sans tout penser ou analyser. Le modèle d'entraînement (*coaching*) constitue, après tout, une réponse pratique.

Pour que le modèle d'entraînement fonctionne bien en tant qu'approche en consultation, plusieurs conditions générales doivent prévaloir. En premier lieu, les participants doivent travailler au développement de bonnes relations interpersonnelles à l'intérieur du court laps de temps qui leur est alloué. Cette première étape est importante parce que de brefs commentaires informels peuvent prêter à de nombreuses interprétations. De plus, les deux participants doivent être entièrement conscients de tous les aspects de la situation. L'étudiant-maître doit être capable d'interpréter les commentaires à l'intérieur de son propre cadre théorique et il doit vouloir le faire. Le consultant doit être encouragé à commenter, peu importe la certitude théorique de ses remarques. Il doit également s'attendre à certaines réponses ou à certains énoncés de la part de l'étudiant-maître. Les impressions et les projections font partie intégrante de cette forme de consultation, où chaque participant doit être ouvert à l'interprétation que font les autres d'une situation.

Le modèle d'entraînement peut fonctionner dans le contexte d'un cadre rigide, mais on le caractérise plutôt de processus flexible, faisant de l'objectif que vise une activité d'enseignement, le critère du succès. La majorité des maîtres-hôtes l'utilisent en voyant le stage comme une chance donnée à l'étudiant de s'exercer à enseigner, plutôt qu'une occasion de suivre un modèle éprouvé ou d'expérimenter comme on le fait en contexte de laboratoire. Ces consultants travaillent avec des étudiants-maîtres engagés dans la réalité concrète d'enseigner à des élèves en classe en utilisant au mieux leur habileté.

Le superviseur de l'université et la résolution de problèmes

Contrairement aux maîtres-hôtes, les superviseurs de l'université ne peuvent compter sur le caractère immédiat des situations de classes. Il se peut qu'un superviseur de l'université ne puisse visiter une classe qu'une seule fois par semaine; il ne peut alors songer à adopter un type de consultation qui consiste à reproduire un modèle ou à faire office de «coach». Par contre, la distance du superviseur permet l'objectivité. Le rôle de ce consultant consiste à aider l'étudiant-maître à procéder à sa propre auto-évaluation grâce à l'identification de modèles de difficulté récurrents, en les isolant et en se concentrant sur la façon dont ils doivent être traités. Le consultant et l'étudiant travaillent habituellement sur les problèmes en trois étapes – une période qui précède la visite d'observation du superviseur, une autre d'observation (pendant la visite hebdomadaire du superviseur), et celle des entretiens consécutifs à l'observation – un processus que l'on a nommé la supervision clinique. Ce processus consiste à identifier un petit nombre de problèmes, à colliger des données qui s'y rapportent, et à leur trouver des solutions avant de passer à d'autres domaines. Cette brève description de l'approche de résolution de problèmes ne lui rend pas justice, mais la plupart des livres qui traitent de la formation des maîtres fournissent un guide élaboré à cet effet.

Plusieurs désavantages sont inhérents à cette approche. Il est difficile pour le consultant et l'étudiant de développer le sens du partenariat qui seul peut assurer le succès de la supervision clinique puisque le représentant de l'université devra évaluer le stage de l'étudiant de façon formelle. De plus, il n'est pas réaliste de supposer que le superviseur de l'université peut isoler les questions, définir leurs frontières et les travailler à l'extérieur du contexte de la classe. En fait, travailler de cette façon risquerait de détruire un concept généralement admis sur le processus d'enseignement: nous possédons en effet amplement de données qui démontrent que l'enseignement est un labyrinthe d'aspects interconnectés entre eux.

Malgré ces réserves, l'approche «résolution de problèmes» possède plusieurs points forts. Les sessions de consultation sont fonction d'un but prédéterminé, ou d'une méthode visant à résoudre un problème spécifique; ainsi, le consultant et l'étudiant-maître s'appliquent à des objectifs définis. Travailler sur un petit nombre de questions à la fois, c'est une façon de faire qui correspond à une question de nécessité. La pertinence d'une observation détaillée et l'analyse de séquences de classe permettent de situer l'entretien et la discussion dans un contexte approprié. Finalement, l'approche de résolution de problèmes permet au superviseur de l'université de développer plusieurs idées, suggestions, procédures, techniques et idéaux, ce qui contribue à enrichir la relation de consultation. On met ici l'accent sur le postulat implicite qu'aucune amélioration ne peut se faire à moins que l'étudiant-maître ne joue un rôle actif dans le processus.

Le superviseur de l'université et la consultation ethnographique

L'approche ethnographique est actuellement très populaire dans un certain nombre de secteurs de l'éducation; cependant, on n'en fait pas tellement état dans la littérature traitant de la formation des maîtres. À titre de représentant de l'université, j'en suis venu à m'y fier de plus en plus, par suite de mon pessimisme croissant au sujet de la consultation. Très peu de changements importants surviennent dans l'apprentissage de l'enseignement consécutivement aux approches traditionnelles. L'idée que l'on peut isoler des problèmes spécifiques à résoudre me paraît pour le moins utopique: avant d'atteindre un tel objectif, il faut effectuer beaucoup de travail de base. L'étudiant-maître typique a besoin de connaître davantage son comportement en classe, les conséquences de ce comportement, le but de l'enseignement et le contexte d'enseignement de son activité en classe. La vraie solution d'un problème peut constituer un processus long et épuisant: les progrès dans l'apprentissage de l'enseignement sont le fruit de la compréhension et d'un travail de transformation orienté par la croissance de l'étudiant-maître. En utilisant l'approche ethnographique, le consultant et l'étudiant-maître travaillent ensemble durant une longue période de temps, en se concentrant sur des activités de description et d'interprétation, en tentant de voir sincèrement la situation du point de vue de l'étudiant-maître, et en portant une attention toute spéciale aux situations habituelles de la classe.

La technique clé du consultant consiste alors à observer en détail la façon dont la leçon s'est donnée, et par la suite à recréer et à réviser cette séquence avec l'étudiant-maître. Que s'est-il passé pendant la leçon? Quel en était le thème? Qu'est-ce qui caractérise l'enseignement actuel de l'étudiant? Quelles nouvelles orientations l'étudiant pourrait-il prendre? Tout comme dans l'approche de résolution de problèmes, la consultation se concentre sur un petit nombre d'inquiétudes, mais définit des questions larges plutôt que des faits isolés. Bien entendu, on préconise certains plans d'action très spécifiques, tel «Apprenez un plus grand nombre de noms d'élèves!» mais d'habitude, on identifie des sujets d'inquiétude plus larges du type «Vos élèves devraient prendre une plus grande responsabilité dans leur apprentissage.» À la suite de chaque session de consultation, l'étudiant-maître se verra confronté à des concepts sur l'enseignement ou à des orientations qui influenceront la planification de ses approches en classe.

Tout consultant qui adopte cette méthode doit posséder une solide connaissance de l'enseignement de la matière supervisée. Résoudre les difficultés d'enseignement ne peut se faire par «petits morceaux», en fournissant simplement un renforcement positif aux actions des étudiants-maîtres dans la classe. Au contraire, le consultant de type ethnographique pourrait bien passer ce commentaire: «Je ne comprends pas pourquoi vous enseignez l'ordre des opérations arithmétiques à des étudiants de secondaire II.» Le ton de ce commentaire peut créer un effet de surprise: c'est tenter d'une façon évidente de critiquer le programme qu'il faut suivre, ce qui est peu professionnel; l'imposition évidente des points de vue du consultant peut sembler un manque d'habiletés interpersonnelles pourtant nécessaires. Néanmoins, la force de l'énoncé ajoute du dynamisme au dialogue; le défi que représente le programme est le type de question fondamentale que tous les enseignants devraient soulever et que s'emploie à poser l'approche ethnographique; les points de vue du consultant apportent une qualité immédiate et pratique aux délibérations.

Il pourrait être utile, à ce stade-ci, de caractériser l'approche ethnographique en la comparant à celle de résolution de problèmes. Les deux méthodes se ressemblent à deux niveaux: les deux se concentrent en tout temps sur un petit nombre de domaines et les deux se fondent sur une observation détaillée. Cependant, il existe précisément des différences sur ces mêmes points. L'observateur ethnographique ne consigne pas par écrit des comportements et des actions, mais des incidents et des significations; ce type de consultant place l'accent non pas sur la réalité évidente des comportements, mais sur les motifs et les implications des actions. L'interprétation finale devient une entreprise commune au consultant et à l'étudiant-maître. L'approche ethnographique vise tout autant à susciter une prise de conscience qu'à résoudre des difficultés. Les critères de succès sont l'amélioration dans la qualité de vie en classe et la compréhension que possède l'étudiant-maître de l'activité en classe, et non la solution de problèmes. Plus important encore, le consultant ethnographique s'applique à orienter et à centrer l'attention. L'approche de résolution de problèmes place un lourd fardeau sur les épaules de l'étudiant: il doit prendre en charge le problème; l'approche ethnographique permet à l'étudiant de bénéficier de la connaissance, de l'expérience, des aperçus et des perspectives du consultant.

QUATRE APPROCHES EN VUE AU SUJET DE LA CONSULTATION

J'ai défendu l'idée que la perspective du consultant au cours des activités de *practicum* dicte le type d'approche qu'il prendra. Le modèle que j'ai développé crée des rôles complémentaires pour le maître-hôte et le superviseur de l'université. Le maître-hôte ne doit pas s'inquiéter outre mesure du caractère biaisé inhérent à la consultation de type «reproduction d'un modèle» ou des limitations que comporte le modèle de «coach», s'il sait que le superviseur de l'université donnera une perspective d'ensemble du défi que représentent les activités de *practicum*. De même, le représentant de l'université peut s'attendre à ce que l'étudiant-maître travaille dans un environnement d'enseignement fortement influencé par les priorités pédagogiques du maître-hôte et par sa préoccupation de couvrir son programme. Le moment le plus difficile que peut connaître le superviseur de l'université, c'est lorsque rien de très significatif ne survient en classe. Sous la direction du maître-hôte, de telles périodes tranquilles ne surviendront pas très souvent. Les activités des deux consultants deviendront ainsi complémentaires.

CONCLUSION

Bénéficier de tout processus de consultation exige de vous, étudiant-maître, une solide relation de travail avec vos consultants. Vos tâches consistent à communiquer, à comprendre et à répondre au type d'encadrement que fournit chacun des consultants. Les méthodes de consultation que j'ai identifiées ici sont des types idéaux. Bien qu'elles n'apparaîtront que rarement à l'état pur, vous devriez être capable d'identifier certains aspects qui les caractérisent. Si votre maître-hôte vous propose de reproduire des modèles et vous fait des suggestions du type «coach» qui vous semblent très ordinaires et pas très emballantes, essayez de comprendre comment et pourquoi ça fonctionne pour

178

lui. Soyez disposé à suivre les interprétations du superviseur de l'université. N'acceptez pas des analyses insignifiantes; osez pousser au-delà des questions superficielles. Vous apprendrez beaucoup par vous-même au cours du stage, mais plus vous travaillerez efficacement avec vos consultants, meilleures seront vos chances de devenir perspicace. Une seule et même personne ne peut connaître toutes les complexités fascinantes que comporte le fait d'enseigner à une classe de 30 élèves, mais chaque consultant y contribue à sa façon unique. Votre défi comme étudiant-maître, c'est de comprendre et de tirer avantage de chacun des consultants.

EXERCICES RÉFLEXIFS ET RECHERCHE DE SOLUTIONS

1. Identifiez les éléments de votre enseignement qui dépendent du modèle proposé par votre maître-hôte. Lesquels trouvez-vous difficiles à accepter? Lesquels êtes-vous heureux d'utiliser?
2. Identifiez certains conseils de type *coach* que votre maître-hôte vous a donnés. Comment ont-ils contribué à votre efficacité en classe? Sur quels principes psychologiques sont-ils fondés?
3. Identifiez une inquiétude que vous avez concernant votre habileté à enseigner. Proposez un plan qui vous permettrait, à vous et à un consultant, de vous aider à améliorer cet aspect de votre enseignement. Quelles sortes de données collecteriez-vous?
4. Comparez votre style général d'enseignement à celui de votre maître-hôte. Pourquoi pensez-vous que ces différences existent?
5. Essayez de caractériser le meilleur enseignant que vous ayez eu. Quelles sortes d'expériences vous permettraient de devenir la même sorte d'enseignant? Les écoles et les classes ont-elles changé à ce point que vous ne puissiez pas devenir un tel enseignant?
6. Quels conseils contradictoires vos consultants (maître-hôte et superviseur de faculté) vous ont-ils donnés? Pouvez-vous trouver des raisons pour chacun d'eux qui vous les feraient voir comme un bon conseil? Sont-ils irréconciliables?

Chapitre 22

LA SUPERVISION DE L'ÉTUDIANT-MAÎTRE, UNE APPROCHE D'ÉQUIPE

Helen Bandy et Sharon Alexander

HELEN BANDY *est actuellement coordonnatrice des expériences scolaires au primaire à l'Université de Victoria. Son travail avec les étudiants-maîtres comprend la coordination des stages du programme d'enseignement au primaire, des séminaires sur l'année professionnelle, des ateliers, des sessions plénières et la coordination des expériences sur le chantier pour le programme d'internat. Helen a écrit un manuel sur l'année professionnelle et fait des recherches sur les programmes de guides par des pairs que mène l'Université de Victoria.*

SHARON ALEXANDER *est coordonnatrice du programme d'extension de l'éducation à l'Université de Victoria. Sa vaste expérience en évaluation de programme comprend l'évaluation des programmes d'entraînement à la supervision des étudiants-maîtres, et la recherche d'orientation naturaliste sur la programmation en éducation. Elle a collaboré avec Helen Bandy à la rédaction de deux autres articles sur la supervision de l'étudiant-maître.*

«Le tout est plus grand que la somme de ses parties.» Ce dicton décrit très bien l'approche d'équipe en supervision des stagiaires. Cette approche met en oeuvre un système de support qui tend à faire baisser le niveau d'anxiété et de stress qui accompagne inévitablement tout stage d'enseignement. Une équipe de supervision de stage se compose d'un superviseur de l'université, d'un maître-hôte et d'un étudiant-maître, tous engagés dans un processus interactif et d'activités complémentaires. Lorsque chaque membre d'une équipe apporte sa part d'expérience, puise dans des secteurs d'expertise différents, et contribue par un effort constant aux tâches actuelles, le résultat est une équipe gagnante. Le rôle de chaque membre diffère: l'étudiant doit s'efforcer de réussir son enseignement; le maître-hôte doit s'assurer que son stagiaire et ses élèves ont tous tiré profit de cette expérience de stage; et le superviseur de l'université doit apporter son support au stagiaire et au maître-hôte tout en s'assurant que les exigences universitaires du programme de formation des maîtres sont respectées. Chaque membre de l'équipe a un intérêt spécifique dans la supervision du stage et chacun a besoin de l'aide des autres pour tirer profit au maximum de cette expérience.

PRINCIPES FONDAMENTAUX DE L'APPROCHE D'ÉQUIPE

Nous aimerions que vous vous posiez cette question: comment une équipe de supervision peut-elle offrir aux trois participants la possibilité de faire une meilleure expérience de stage? Le succès de cette entreprise dépend de six facteurs principaux:

1) Les maîtres-hôtes fournissent des modèles de comportement que les étudiants-maîtres essaient d'imiter.

2) Les étudiants-maîtres apprennent les habiletés d'enseignement de leurs maîtres-hôtes.

3) Les maîtres-hôtes fournissent une assistance quotidienne aux étudiants-maîtres dans la planification et l'évaluation de leur rendement dans l'enseignement.

4) Les maîtres-hôtes reçoivent une formation qui encourage l'enseignement efficace et les habiletés de supervision.

5) Les étudiants-maîtres et les maîtres-hôtes assistent, ensemble, à des ateliers afin de mieux connaître l'enseignement efficace et la supervision.

6) Les superviseurs de l'université assurent les liens entre le campus et l'école, et surveillent l'ensemble de l'expérience de l'enseignement du stagiaire.

EXERCICE 22.1

En utilisant les six facteurs mentionnés ci-haut comme points de départ, développez une description de rôle pour chaque membre de l'équipe de supervision. Décrivez ces rôles de la façon la plus détaillée possible:

1. Le rôle du maître-hôte consiste à...
2. Le rôle du superviseur de l'université consiste à...
3. Le rôle de l'étudiant-maître consiste à...

L'approche d'équipe dans les activités de formation pratique trouve un enrichissement dans le type de relation, la confiance et le respect mutuel qui se créent entre ses membres. Chaque membre doit faire montre d'ouverture, d'honnêteté, de respect et de compréhension. Pour y parvenir, l'équipe doit partager une perspective commune sur la communication, l'enseignement et la supervision, malgré des différences dans les antécédents culturels, l'âge, l'attitude, l'expérience, les styles scolaires, ou d'autres variables.

Afin de développer cette perspective commune, l'équipe devra discuter les éléments constitutifs d'un enseignement efficace. Nous croyons que tout enseignement efficace se caractérise par cinq fonctions principales:

1) la préparation de classe;

2) l'enseignement;

3) la gestion de classe;

4) une atmosphère propice à l'apprentissage;

5) l'évaluation.

Ces fonctions résument les éléments essentiels de la supervision des stages. L'équipe doit s'entendre sur la valeur relative de chacune de ces fonctions et décider ensemble quel secteur requiert la plus grande vigilance. Au cours de notre étude, lorsqu'on demanda aux étudiants-maîtres de nous dire quel était le domaine le plus critique de la supervision des stages, la plupart des stagiaires ont répondu: la gestion de la classe.

> Mon maître-hôte avait une certaine façon de garder le contrôle de la classe; sa façon de faire était parfois très frustrante pour moi. Elle maintenait l'ordre en utilisant une voix forte et une discipline très rigide qu'il m'était difficile de poursuivre au moment où je prenais la classe en charge et avec laquelle je me sentais mal à l'aise. C'était difficile parce que les enfants étaient habitués à répondre à son style de discipline et ne savaient pas réagir à d'autres méthodes de contrôle[1].

Lorsque les styles de gestion de classe du maître-hôte et du stagiaire diffèrent de façon notable, les discussions entre les membres de l'équipe doivent être ouvertes et honnêtes. En effet, il faut examiner soigneusement et entièrement les différences dans l'approche de chacune de ces fonctions.

Une équipe de supervision efficace doit également s'entendre sur un modèle de supervision. Des formes modifiées du modèle clinique de supervision que décrivent Goldhammer[2] et Cogan[3] sont utilisées dans plusieurs programmes de formation des maîtres. Le modèle original prévoyait qu'il fallait consacrer une longue période de temps à un entretien préparatoire à la supervision (phase qui précède la présence en classe) pour établir les objectifs de la supervision. Une version modifiée de ce modèle combine la préparation et l'entretien consécutif à la supervision (après une visite de supervision en classe) en une seule rencontre pour analyser les données observées au cours d'un épisode d'enseignement supervisé et pour établir les objectifs de la prochaine visite de supervision. La Figure 22-1 montre le modèle de supervision clinique tel qu'adapté à partir du travail de Goldhammer et Cogan. Peu importe le modèle précis de supervision qu'on utilise, il est essentiel que tous les membres de l'équipe participent aux phases du processus de supervision.

Figure 22-1
Modèle de supervision clinique

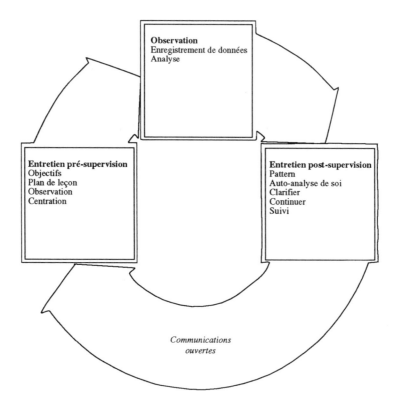

L'approche d'équipe exige également que les étudiants-maîtres jouent un rôle actif dans leur propre supervision. Les commentaires de stagiaires qui ont complété une période de stage de six semaines confirment ce besoin de participation. Lorsqu'on leur demanda de commenter la supervision de leur stage, ils répliquèrent dans ce sens:

> J'aurais aimé avoir l'occasion de discuter avec le maître-hôte et le superviseur en même temps.

> Le «feedback» du maître-hôte m'a été plus profitable parce que cette enseignante m'a vu sur une base continuelle, détendue et plus fréquente.

> Le «feedback» du superviseur universitaire est bon pour travailler sur des méthodes précises mais il est difficile pour les membres de

l'université de pressentir le climat de la classe et la place que le stagiaire y occupe. Ni le superviseur ni le maître-hôte ne sont capables de concevoir l'étudiant-maître seul avec sa classe[4].

Un des aspects les plus bénéfiques d'une approche d'équipe en supervision est peut-être la responsabilité que le stagiaire doit prendre pour améliorer son rendement. Il est clair que l'auto-évaluation est essentielle lorsqu'aucun superviseur ne se trouve présent dans la classe. L'évolution du stagiaire se produit plus rapidement lorsqu'il réalise le besoin de changer son comportement et qu'il analyse les étapes nécessaires à suivre pour modifier ses stratégies d'enseignement.

UNE ÉTUDE SUR L'APPROCHE D'ÉQUIPE

À l'Université de Victoria, on encourage l'approche d'équipe en supervision. Récemment, on a donné un atelier à 14 maîtres-hôtes ainsi qu'à leurs stagiaires qui étaient en train de compléter une année supplémentaire consécutive à l'obtention de leur diplôme d'enseignement pour le premier cycle du primaire. Cet atelier avait pour but d'encourager l'approche d'équipe. Voici quels étaient les objectifs de l'atelier:

1) Établir un concept d'entraide entre le maître-hôte, le stagiaire et le superviseur universitaire.

2) Améliorer la qualité des habiletés du maître-hôte en colligeant et rapportant des données sur le rendement en classe de l'étudiant-maître, sans vouloir porter de jugement.

3) Améliorer les compétences du maître-hôte dans ses entretiens avec son stagiaire.

Pour atteindre ces objectifs, on a prévu que l'atelier se concentrerait sur le développement d'habiletés dans trois secteurs: collecte de données sans arrière-pensée de jugement; communication; et interaction stagiaire/maître-hôte.

On a procédé à une évaluation de cet exercice dans le but de déterminer si ces objectifs avaient été atteints. Les résultats de cette évaluation démontrent qu'un atelier conduit en présence de tous les membres de l'équipe était absolument nécessaire aux fins de développer des perceptions et des objectifs communs, et d'identifier les principales tâches de l'équipe. Les participants à cet atelier ont retenu trois sujets précis en vue de discussions ultérieures: évaluation efficace de l'étudiant-maître; techniques de gestion de classe; et techniques d'entretien pouvant aider les maîtres-hôtes à donner du «feedback» à leurs stagiaires sur leur rendement.

EXERCICE 22.2

Par petits groupes, demandez-vous comment chaque membre de l'équipe de supervision devrait contribuer à ces trois processus:
1. Évaluation efficace du stagiaire;
2. Développement des habiletés de gestion de classe;
3. Amélioration des habiletés nécessaires pour les entretiens stagiaire/maître-hôte durant les stages.

L'atelier a réussi à identifier plusieurs secteurs qui présentent habituellement des problèmes dans l'approche d'équipe en supervision. Par exemple, les recommandations des superviseurs universitaires et les conseils des maîtres-hôtes sont parfois contradictoires. Les maîtres-hôtes ont tendance à ne pas mettre par écrit leurs observations sur les stagiaires et évaluent leur rendement de façon globale, alors qu'il serait préférable d'analyser les tâches reliées à l'enseignement. Souvent, les maîtres-hôtes ne savent pas exactement ce qu'ils doivent observer chez leur stagiaire ou comment apprécier l'amélioration du rendement. Les participants ont aussi identifié deux secteurs sur lesquels les membres de l'équipe de supervision devraient faire porter leur effort de manière plus précise afin d'assurer le succès de leur approche: la préparation du préstage et de la planification quotidienne des activités en classe, et l'évaluation du rendement du stagiaire. Voici certaines questions reliées au premier de ces secteurs:

- Comment les superviseurs universitaires peuvent-ils bien communiquer aux maîtres-hôtes leurs attentes au sujet des plans de cours?

- Jusqu'à quel point les stagiaires devraient-ils déterminer eux-mêmes le contenu spécifique et la méthodologie de leur enseignement en stage?

- Quelles sont les grandes lignes organisationnelles que nécessitent la planification du préstage et la planification des responsabilités quotidiennes et hebdomadaires?

- Quelles compétences faut-il évaluer dans la planification de l'enseignement?

EXERCICE 22.3

1. Au cours de votre séminaire sur le stage, discutez chacune des quatre questions mentionnées ci-haut. Établissez les grandes lignes d'un schéma pour les équipes de supervision en réponse à chacune de ces questions.

2. Présentez ce schéma à vos superviseurs universitaires et à votre maître-hôte en leur demandant ce qu'ils en pensent.

Les participants ont aussi insisté sur le besoin de consistance dans l'évaluation du stagiaire parmi les membres de l'équipe de supervision. Ils ont souligné que les critères pour chaque comportement d'enseignement devraient être établis et acceptés par toute l'équipe, et que tous les membres de l'équipe devraient recevoir la même information au sujet des méthodes et des standards d'évaluation utilisés.

EXERCICE 22.4

1. Énumérez cinq aptitudes importantes dont devrait faire preuve un enseignant, telles que les identifie:

   a) un livre de classe ou une autorité de recherche;
   b) votre institution d'enseignement.

2. À côté de chaque comportement, inscrivez au moins trois critères d'un rendement acceptable.
3. Partagez vos critères de rendement avec votre maître-hôte et votre superviseur de l'université. Vos critères diffèrent-ils des leurs?

L'atelier a révélé également le besoin d'une communication continue entre l'école et l'université afin de renforcer les liens entre le milieu des activités professionnelles de l'enseignement et celui de la formation donnée à l'université. De nombreuses études ont démontré l'importance de ce lien dans le succès du stagiaire en classe. Des participants ont suggéré que cette communication pourrait être plus étroite si on faisait appel aux superviseurs universitaires à titre de personnes-ressources, si les maîtres-hôtes étaient reconnus dans leur rôle, et si les responsabilités du stagiaire étaient plus clairement définies.

CONCLUSION

L'étude de l'Université de Victoria confirme que l'approche d'équipe en supervision est une des méthodes les plus efficaces pour s'assurer que les superviseurs, les maîtres-hôtes et les stagiaires soient satisfaits de leur expérience de stage. Les maîtres-hôtes, tout comme les superviseurs, jouent un rôle crucial dans l'établissement des standards et des attentes de rendement. Malgré son manque d'expérience, même le stagiaire a des responsabilités distinctes. La clé du succès de l'équipe se trouve dans une communication à trois. Tous les participants ont manifesté leur désir d'être compétents et experts en supervision, ce qui tend à renforcer le besoin d'un dialogue continu et significatif entre l'université, les maîtres-hôtes et les stagiaires.

La principale préoccupation d'une équipe de supervision est de fournir une atmosphère de support dans laquelle le stagiaire peut pratiquer et raffiner avec succès ses habiletés d'enseignement. Très souvent, on peut réussir à atteindre ce but en s'appliquant à définir le rôle que chaque membre de l'équipe est appelé à jouer. Dans cette approche, l'équipe de supervision peut s'attarder à considérer différentes perceptions et interrelations

189

individuelles. La mise en place d'une équipe de support cohérente aboutira en fin de compte à un stage beaucoup mieux réussi et à la naissance d'un nouvel enseignant mieux qualifié.

Notes

1. Tous les commentaires des étudiants ont été faits par des étudiants-maîtres au primaire de l'Université de Victoria au cours de la session d'automne 1985.
2. Goldhammer, Robert (1969). *Clinical supervision*. New York: Holt, Rinehart and Winston.
3. Cogan, Morris (1973). *Clinical supervision*. Boston: Houghton Mifflin.
4. Commentaires d'étudiants de l'Université de Victoria, session automne 1985.
5. Bandy, Helen (1985). Recherche non publiée.

Chapitre 23

COMPOSER AVEC LE STRESS

Bryan Hiebert

BRYAN HIEBERT *est professeur associé en psychologie du counselling au Département de psychologie éducationnelle de l'Université
de Calgary. Il enseigne les habiletés de consultation et l'orientation
professionnelle, et il participe depuis huit ans à la recherche sur le
stress dans le système scolaire. Le docteur Hiebert a publié des articles
sur le stress et le contrôle du stress dans* The Canadian Journal of
Education, The Canadian Administrator, The School Counsellor,
Guidance and Counselling, *et* Teacher Education. *Il a récemment
complété une importante recension d'écrits pour l'Association
canadienne de l'éducation:* Stress and Teachers: The Canadian Scene.

Plusieurs perçoivent l'enseignement comme un emploi
hautement stressant, même si, à l'appui de cet énoncé, on
rapporte rarement des faits qui, par ailleurs, semblent souvent
contradictoires[1]. En conséquence, il est important que les futurs
enseignants sachent un peu ce qu'est le stress et comment on
peut le contrôler. Le but que nous poursuivons dans ce chapitre,
c'est de vous fournir l'information dont vous avez besoin. Au
début, on aborde la nature du stress en tenant compte de l'état
actuel des connaissances; on traite ensuite du contrôle du stress,
en soulignant les procédés que vous, à titre d'étudiant-maître,
vous trouverez utiles.

QU'EST-CE QUE LE STRESS?

Autrefois, on percevait le stress comme la réponse
physiologique d'un individu aux prises avec des situations très
exigeantes (c'est-à-dire le sentiment d'être dépassé) ou avec ce
qui fait partie intégrante de certaines conditions du milieu (par

exemple, passer des examens, parler en public, comment traiter les comportements inacceptables des élèves). Aujourd'hui, la plupart de ceux qui écrivent sur ce sujet s'entendent pour dire que le stress est une réponse multidimensionnelle qui survient à un moment précis: celui où l'on perçoit que les exigences d'une situation excèdent ses propres ressources (voir la Figure 23-1). Le stress ne provient pas de l'exigence du milieu comme telle, mais du fait qu'on ressent un déséquilibre entre cette exigence et les ressources que l'on possède pour faire y face de façon satisfaisante. Il est assez typique de constater qu'en se trouvant en face des exigences d'une situation, on se met à évaluer sa nature, son habileté à y faire face de façon satisfaisante, et toutes les conséquences qui s'y rattachent. L'exigence peut être très contraignante, mais tant qu'on a le sentiment que l'on peut y répondre adéquatement, on expérimentera relativement peu de stress. Par contre, l'exigence de la situation peut être très banale, mais si l'individu pense qu'il est incapable d'y faire face, et spécialement si on a le sentiment qu'en ne parvenant pas à assumer cette responsabilité, il en résultera de fâcheuses conséquences, alors, le niveau de stress peut devenir très élevé. Évidemment, les éléments essentiels du stress se trouvent dans le lien qu'on établit entre la perception qu'on a de la situation et de ses ressources pour y faire face.

STRESS: UNE RÉPONSE MULTIDIMENSIONNELLE

Les gens expérimentent le stress comme une réponse intégrée et multidimensionnelle mettant en cause tout au moins les systèmes physiologiques et cognitifs, et le comportement lui-même[2]. Dans sa *dimension physiologique*, le stress se caractérise par une augmentation du rythme cardiaque et respiratoire, de la transpiration, de la tension musculaire et par une diminution de la circulation sanguine dans l'extrémité des membres. Telle est la façon naturelle du corps de répondre à un sentiment de menace. Dans sa *dimension cognitive*, les gens ont tendance à mal évaluer les caractéristiques des exigences d'une situation et

Figure 23-1

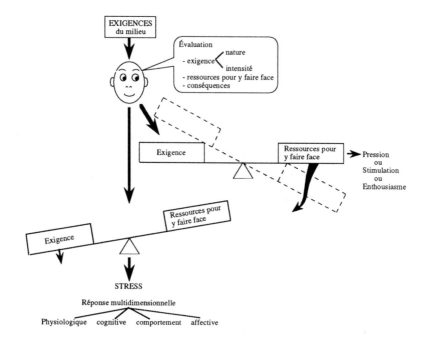

de leurs ressources. Typiquement, ceci signifie qu'ils exagèrent la nature ou l'intensité des exigences en présence, qu'ils deviennent angoissés en pensant aux conséquences qui s'ensuivraient en n'y répondant pas de façon optimale, et qu'ils sont portés à minimiser leurs habiletés à faire face à cette situation. Cette réponse s'accompagne souvent d'une rumination excessive (repasser, et repasser, et repasser un événement particulier dans sa tête) et d'une auto-dévalorisation cognitive (s'abaisser à ses propres yeux et se rabrouer soi-même). Ce type de réflexion a tendance à nuire au rendement d'un individu et, à son tour, ce rendement plus faible a tendance à provoquer l'exagération, l'angoisse ou l'auto-dénigrement. Nous retrouvons ici le cercle vicieux proverbial où un niveau minimal de stress semble se nourrir lui-même et devenir ainsi de plus en plus élevé. La *dimension relative au comportement* dans le stress nous fait assister à une augmentation du comportement de type «dépêche-toi», ce qui a pour effet de provoquer des tics nerveux, le tremblement et une augmentation générale de la rapidité du système physique (marcher plus vite, parler plus vite, manger plus vite, et une impatience marquée envers les gens qui sont lents).

Quand on est stressé, les composantes physiologiques, cognitives et celles qui sont relatives au comportement agissent habituellement de concert. Cependant, il arrive qu'une composante soit fréquemment plus active que les autres. Ainsi, une personne peut expérimenter une transpiration extrême (une réponse physiologique) mais comparativement peu de réaction cognitive ou de comportement; par contre, une autre personne peut expérimenter une angoisse profonde et l'auto-dénigrement (une réaction cognitive) et comparativement peu de réaction physiologique ou de comportement. La compréhension de ce déséquilibre est importante dans la détermination des mesures que l'on doit préconiser pour contrôler le stress, comme nous le verrons un peu plus loin dans ce chapitre.

Stress transitoire et stress chronique

Habituellement, lorsqu'on fait face aux exigences d'une situation, on réagit en se comportant de manière appropriée; on s'aperçoit qu'en essayant de composer avec la situation, ça commence à fonctionner, ou bien la pression s'atténue et tout a tendance à revenir à la normale. C'est le *stress transitoire*; le corps de l'individu est très peu affecté. Cependant, si la pression persiste et que l'individu se rend compte que ses efforts pour composer avec la situation demeurent inadéquats, le *stress chronique* se développe. Celui-ci se caractérise par une hyperexcitation soutenue, une prépondérance de l'activité cognitive dysfonctionnelle, et toute une gamme de modèles de comportements inappropriés. De plus, il est prouvé que le stress chronique est lié à certains désordres de nature médicale[3].

Implications. Pour l'enseignant débutant, plusieurs implications importantes découlent de ces remarques préliminaires.

D'abord, vous devriez être conscient qu'il n'existe aucune situation de fait qui comporte en elle-même du stress. Parfois, certains disent que leur emploi est stressant, ou que les examens sont stressants, ou que composer avec les élèves est stressant ou que l'heure de pointe sur les routes est stressante. De tels énoncés sont tout simplement faux. Ces situations sont peut-être contraignantes, mais c'est la perception du manque d'habileté à y faire face qui produit le stress, et non la situation prise en elle-même. Intuitivement, la plupart des gens le réalisent en constatant que différentes personnes réagissent à la même situation de diverses façons. Par exemple, certaines personnes trouvent les examens stressants, alors que d'autres les trouvent stimulants ou y réagissent de manière indifférente. De plus, tout individu peut réagir à la même situation de façons différentes à différents moments. Par exemple, habituellement, lorsque le sommeil des enseignants (ou des parents) est interrompu plusieurs soirs de suite, le comportement de leurs élèves (ou de leurs enfants) les dérange davantage. Le même comportement peut être accepté sans trop d'ennui lorsque les enseignants (ou les parents) sont bien reposés. Si le stress était inhérent à la situation, la situation devrait avoir le même effet sur toutes les personnes, ou tout au moins sur la même personne à différents moments. Nous savons que ce n'est pas le cas.

En second lieu, un certain stress est probablement quelque chose d'inévitable. Nous rencontrerons tous des situations où nos capacités de composer seront taxées au-delà de leurs limites et où nos niveaux de stress augmenteront. De plus, le stress que nous expérimentons aura inévitablement un effet négatif sur notre rendement, spécialement lorsque les sources de stress sont de nature cognitive. Il faut aussi reconnaître que l'excitation élevée qui fait partie du stress de façon naturelle peut être bénéfique si nous rencontrons un ours lors d'une expédition en forêt, mais l'exagération, l'angoisse et l'auto-dénigrement interféreront avec les exigences cognitives d'une situation, comme lorsqu'il nous faut composer avec la critique ou passer des examens écrits. De plus, si la réaction stressante devient chronique, notre santé en souffrira. Ce n'est même pas valable de poser la question: «Un certain stress n'est-il pas bon?» Nous devrions plutôt dire: «Mon niveau de stress nuit-il à la façon dont je fais face à une situation à un point tel qu'il serait urgent que j'y voie?» Dans la partie suivante de ce chapitre, on trouvera des suggestions spécifiques relatives à cette dernière question.

CONTRÔLER LE STRESS

Puisque le stress provient d'une interaction entre des situations exigeantes et un individu, le contrôle du stress se fait habituellement à partir de deux perspectives principales, une consistant à se concentrer sur les situations (l'élément stressant), et l'autre, sur ses propres réactions (gestion du stress).

Figure 23-2

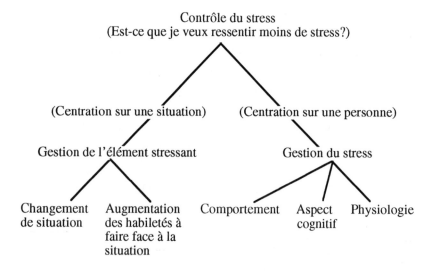

196

On trouvera un modèle de perspectives à la Figure 23-2. On l'explique ci-dessus. L'explication met l'accent particulièrement sur les stratégies que vous, étudiant-maître, vous pourriez trouver utiles[4].

Gestion de l'élément stressant

Le but qu'on poursuit en essayant de gérer l'élément stressant, c'est de diminuer le déséquilibre qui s'introduit entre les caractéristiques d'une situation et les ressources de l'individu, lui permettant de composer avec les exigences de la situation de façon satisfaisante. Il est assez typique que l'on atteigne ce but en essayant de rendre la situation moins exigeante, ou en apprenant davantage comment composer avec les exigences de la situation, ou les deux à la fois.

Réduire les exigences. Une des façons sensées de commencer à contrôler le stress consiste à explorer les méthodes qui concourent à réduire les exigences auxquelles on fait face. Les étudiants qui sont angoissés à l'idée de passer des examens écrits s'inscrivent fréquemment à des cours qui n'en contiennent pas. Les étudiants qui se laissent facilement distraire enlèvent les sujets de distraction de leur espace d'étude. Ils améliorent parfois l'éclairage, ou réduisent le bruit de fond, rendant ainsi l'environnement moins distrayant.

Dans certains cas, les exigences de la situation découlent de l'ambiguïté qu'on entretient par rapport aux attentes de rendement. Dans ces cas, réduire l'ambiguïté, c'est rendre habituellement la situation moins exigeante. Ainsi, lorsque les professeurs établissent des critères spécifiques pour la notation des travaux (ou lorsque les étudiants exigent que ces critères soient établis) le travail de la session d'étude devient habituellement une tâche moins exigeante. De même, lorsque le contenu d'un examen et d'autres facteurs tels la longueur, le format des questions ou les notes de passage sont spécifiés à l'avance, on réduit certaines des pressions que comporte la passation d'un test. De même aussi, lorsque les critères utilisés pour évaluer le rendement des stagiaires en classe sont explicites, on enlève alors un certain poids d'anxiété. Habituellement, lorsque les attentes de rendement sont rendues plus explicites, la personne évaluée trouve qu'il est plus facile de faire face aux exigences et ainsi se trouve moins stressée. Dans tous ces cas, la première étape importante consiste à essayer de rendre la situation moins contraignante, et d'augmenter par le fait même chez l'individu ses chances de mettre à profit ses ressources personnelles pour faire face adéquatement à la situation.

Augmenter ses ressources pour faire face à une situation. Il est parfois impossible de rendre une situation moins exigeante. Il est cependant souvent possible, dans ces cas, d'apprendre des façons plus efficaces de composer avec les exigences de la situation, peut-être en apprenant de nouvelles habiletés ou en développant de nouvelles ressources.

Dans ce chapitre, «composer» signifie tenter de mettre en oeuvre tout ce qui dépend de soi pour faire face aux exigences d'une situation. Les «ressources permettant de faire face à la situation» réfèrent aux sources d'assistance qui facilitent une action plus efficace dans ces situations. Par exemple, les enseignants peuvent recevoir une assistance parentale relative à la supervision ou à la préparation du matériel. De telles solutions sont considérées comme étant des procédés légitimes de contrôle du stress. Lorsqu'on acquiert de nouvelles ou de meilleures ressources permettant de composer avec une situation, bien que les exigences puissent rester relativement inchangées, on se sent moins stressé parce qu'on fait face à la situation de manière plus efficace.

Les enseignants trouvent que lorsqu'ils apprennent à planifier des leçons de manière efficace et qu'ils possèdent un bon répertoire d'habiletés d'enseignement, ils se sentent moins stressés devant une classe[5]. De même, apprendre à gérer une classe est un bon moyen de gérer ce qui stresse. De nombreuses études montrent que les comportements inacceptables des élèves constituent l'élément déclencheur du stress le plus important[6]. Lorsque les enseignants apprennent des façons plus efficaces d'établir et de maintenir des relations de travail avec leurs élèves fondées sur la coopération, les comportements aberrants font surface moins souvent. De plus, lorsqu'une conduite inacceptable survient, les enseignants qui ont développé de bonnes habiletés de gestion de classe possèdent les moyens de faire face à la situation et sont alors moins portés à faire du stress[7].

Quant aux exigences temporelles – autre source commune de stress dans l'enseignement – il vaut mieux les traiter du point de vue de la gestion de l'élément stressant. On ressent souvent moins de pression reliée au temps en apprenant des habiletés de gestion du temps plus efficaces. En voici quelques-unes parmi les plus communes:

- Préparer une liste «À FAIRE», en indiquant vis-à-vis des points de la liste l'ordre de priorité, et en cochant les points une fois qu'on a terminé;

- Subdiviser les tâches plus complexes en petits groupes plus maniables, et les ajouter à la liste «À FAIRE»;

- Faire de l'horaire une priorité, et s'assurer que le temps du jeu ne vient que lorsque le travail est terminé;

- Établir l'achèvement de parties spécifiques du travail à titre d'objectifs pour une période de travail particulière;

- Suivre de près la progression du travail sur une carte ou un graphique;

- Se récompenser d'avoir adhéré au programme de gestion du temps[8].

D'autres habiletés qui peuvent aider à contrôler le stress comprennent le ton ou les habiletés à communiquer au plan interpersonnel lorsqu'il faut faire face à des éléments stressants de nature interpersonnelle. Par exemple, maîtriser les habiletés nécessaire à l'étude comme moyen d'abolir l'anxiété causée par les examens; assister à des séminaires de planification budgétaire pour aider à composer avec les éléments financiers stressants;

s'informer des moyens de recherche d'emploi pour réduire l'appréhension concernant l'entrée sur le marché du travail; et développer les habiletés à éduquer pour composer avec les éléments stressants causés par des conduites inacceptables des enfants.

Procédés supplémentaires de gestion de l'élément stressant. Il nous faut mentionner ici quatre stratégies supplémentaires de gestion de l'élément stressant. On ne sait pas si ces stratégies font appel aux ressources qu'on utilise pour diminuer les pressions ou pour augmenter les ressources qui permettent de faire face à une situation. Cependant, on s'entend pour dire qu'elles réduisent la probabilité d'un déséquilibre entre les exigences de la situation et les ressources qui permettent de composer avec elle. Elles devraient ainsi se situer du côté de la gestion de l'élément stressant dans la Figure 23-2. Ces quatre stratégies sont: des groupes de support, l'exercice physique, la nutrition et le sommeil.

Les groupes de support, qui peuvent être une personne ou un groupe de personnes, amortissent les effets d'une exposition à des situations exigeantes. Le groupe devrait fournir un forum où les individus peuvent recevoir des messages comme: «Nous croyons que vous êtes une personne de mérite», et où les participants peuvent partager des expériences de réussite, ou demander que l'on suggère des façons de faire face à ces problèmes. Cependant, les groupes qui encouragent la tendance d'un individu à se plaindre de ce qui va mal n'aident habituellement pas à réduire les niveaux de stress. Il ne semble pas important non plus que le groupe se rencontre souvent, mais seulement que l'individu sache qu'il peut compter sur le groupe au besoin. Plusieurs organisations d'enseignants reconnaissent ce besoin et organisent des groupes de support entre pairs qui se réunissent régulièrement.

L'exercice physique sert à contrôler le stress de deux façons. D'abord, certaines formes d'exercice tels le jogging, la natation ou la marche donnent une chance aux gens de se retrouver seuls et de retrouver un équilibre mental. Une fois l'équilibre retrouvé, on se sent plus apte à composer avec les exigences de la situation. Deuxièmement, les exercices aérobiques réduisent le temps requis pour retrouver les niveaux physiologiques normaux après le stress. Les gens qui font de l'aérobie réagissent de façon tout aussi intense lorsqu'ils sont stressés, mais ils récupèrent ensuite plus rapidement[9].

De nombreuses recherches ont été faites récemment sur l'influence de la nutrition sur le comportement. J'aimerais attirer ici votre attention sur les effets de la caféine. Plusieurs se sentent souvent agités simplement parce qu'ils ont bu quatre ou cinq tasses de café dans la journée. La caféine les agite et les maintient à un niveau d'excitation élevé, et peut, avec le temps, engendrer de nombreux troubles physiologiques. On peut cependant inverser ce processus en réduisant la consommation de caféine. Les sources les plus communes de la caféine dans les régimes alimentaires occidentaux sont le café, le chocolat et les boissons gazeuses. Le thé contient entre un tiers et un dixième de la quantité de caféine contenue dans le café, suivant le type de feuilles utilisées et la force du thé[10].

Finalement, il est important de mentionner le rôle que joue le sommeil pour éviter le stress. La plupart des gens sont conscients qu'ils sont plus patients, plus tolérants et mieux disposés à composer avec les exigences normales rencontrées au cours d'une journée lorsqu'ils se sentent bien reposés. La plupart des gens ont une bonne idée du sommeil dont ils ont besoin pour bien fonctionner. La clé, c'est d'avoir suffisamment de sommeil (ni plus ni moins) spécialement lorsqu'un haut niveau d'énergie est exigé. Se donner à soi-même une bonne mesure de sommeil, c'est se donner en même temps l'assurance que l'on peut fonctionner à son mieux.

Bref, lorsque vous faites face au stress, examinez la situation pour trouver des façons de réduire le déséquilibre entre les exigences de la situation et votre habileté à composer avec elle. N'oubliez jamais ce dicton: si vous avez une écharde dans le doigt, il vaut mieux la retirer que d'apprendre à contrôler la douleur.

Gestion du stress

Dans les situations où il est impossible de modifier le déséquilibre entre les exigences d'une situation et ses propres ressources, les stratégies de gestion du stress peuvent grandement aider. Il est souvent possible de diminuer les réponses physiologiques, cognitives ou de comportement qui forment le stress. Voici des exemples de ces stratégies[11].

Approches physiologiques. Le signe le plus évident que quelqu'un est stressé est probablement le sentiment qu'il éprouve d'être dépassé physiologiquement. Ainsi, il est logique que certains procédés de gestion du stress nécessitent d'apprendre des façons de contrôler les réactions physiologiques, habituellement grâce à la relaxation. La relaxation se caractérise par une diminution du rythme cardiaque et respiratoire, de la transpiration, des niveaux de tension musculaire, et par une augmentation de la circulation sanguine dans les extrémités, ce qui a pour effet de rendre les mains et les pieds plus chauds. C'est l'opposé direct du stress.

Herbert Benson a identifié quatre éléments clés nécessaires à la production de la relaxation: un endroit tranquille, une position confortable, une façon de concentrer son attention (Benson appelle cela un outil mental), et une attitude objective[12]. Tout exercice qui englobe ces quatre éléments et qu'on poursuit de façon ininterrompue pendant environ 20 à 25 minutes, produira un effet de relaxation. Après environ deux mois de pratique quotidienne régulière, il est possible de développer un signal mental, nommé l'indice, qui fait démarrer la relaxation. Bien souvent, les gens développent un indice qui est simplement une phrase comme «du calme», ou un signal comme deux respirations très profondes. Si un indice est bien pratiqué, il neutralisera la réponse physiologique au stress.

D'autres procédés de relaxation fonctionnent bien également; ce sont la méditation transcendantale, le yoga, la relaxation progressive, l'entraînement autogénique, le biofeedback et l'auto-hypnose. Elles représentent d'autres façons d'arriver à un état corporel similaire. Celle qui fonctionne le mieux pour vous relève d'un choix personnel. Je souligne ici deux de ces procédés.

La relaxation progressive fonctionne grâce à la tension et à la relaxation de certains groupes de muscles selon une séquence progressive. La façon de faire la plus commune consiste à commencer avec les mains. Fermez le poing, tenez la tension pendant cinq à dix secondes puis relaxez, en remarquant le contraste entre la tension et la relaxation. Ce procédé est ensuite appliqué aux poignets: les mains sont repliées vers l'arrière, l'attention se porte sur la tension durant cinq à dix secondes, puis sur la relaxation au fur et à mesure que la tension se relâche. Le processus se poursuit avec les biceps, les épaules, le cou, la tête, le front, etc., en faisant alterner la tension et la relaxation de chaque groupe de muscles jusqu'à ce que le bout des orteils soit relaxé. La durée de cet exercice devrait être de 20 à 25 minutes.

Les étudiants désirant apprendre la relaxation progressive peuvent suivre un texte[13]. D'abord, lisez le texte plusieurs fois afin de vous familiariser avec la séquence musculaire et les phrases utilisées, puis trouvez un endroit tranquille, adoptez une position confortable (peut-être assis dans un fauteuil ou étendu sur le lit), et répétez le texte, gardant un esprit ouvert et objectif sur ce qui se passe. Vous pourriez enregistrer le texte et faire jouer la cassette lorsque vous pratiquez la relaxation. Vous pourriez également acheter une cassette de relaxation préenregistrée ou en emprunter une. Plusieurs centres de consultation universitaires et collégiaux possèdent des copies de programmes de relaxation, ou offrent aux étudiants les services de conseillers en apprentissage de la relaxation.

Herbert Benson voulait développer une technique qui produirait un effet semblable à celui de la méditation transcendantale, mais sans y inclure le ton presque religieux qui lui est associé. Le résultat de son travail, ce fut la *Réponse de Relaxation*, par Benson. Le processus est facile à suivre et a eu beaucoup de succès dans plusieurs milieux de travail et collégiaux. Trouvez un endroit tranquille, asseyez-vous dans une position confortable, et répétez tranquillement le mot «un» plusieurs fois. Commencez en répétant ce mot à haute voix; puis verbalisez-le à voix basse; enfin, ne faites que penser au mot «un», et finalement ne faites que l'«expérimenter». Si vous continuez pendant environ 20 à 25 minutes, et maintenez une attitude objective et passive tout au long du processus, vous développerez un sens profond de la relaxation.

N'oubliez pas que toutes ces techniques de relaxation ne sont que des moyens différents pour arriver au même résultat. Peu importe la méthode de relaxation choisie, l'élément le plus important est la pratique régulière et quotidienne. Le jeune novice qui demandait: «Maître, qu'est-ce qui vaut mieux, dix minutes de méditation ou vingt?» reçut comme réponse: «Vingt minutes, c'est mieux; cependant, faire dix minutes de méditation vaut mieux que le désir d'en faire pendant vingt minutes.»

Approches cognitives. Les gens stressés ont souvent des pensées qui font de l'interférence: ils exagèrent les exigences d'une situation; ou bien ils deviennent angoissés à la seule pensée de ce qui va arriver s'ils ne réussissent pas à faire face à la situation à la perfection; ou bien ils minimisent leur habileté à composer avec la situation. Les approches cognitives à la gestion du stress essaient de modifier cette interférence de sorte que la réflexion soit plus auto-soutenante et auto-encourageante.

Je souligne souvent aux gens qu'ils passent plus de temps avec eux-mêmes tous les jours qu'ils n'en passent avec les autres. Si quelqu'un de notre entourage souligne continuellement nos défauts et critique sans cesse nos erreurs, nous finirons par subir l'influence de cette centration négative. Le simple fait de se dire à soi-même: «Tu ne réussiras pas», «Tu es toujours perdant», «Tu fais toujours une gaffe dans ce genre de situation», «Vas-tu finir par apprendre, idiot», ou «Tu ne réussiras jamais», augmente le niveau de stress. Par contre, des pensées qui se concentrent sur l'encouragement ou sur les succès passés ou simplement sur la relaxation lorsqu'on commence à se sentir agité, aident habituellement à rester calme.

Une technique facile aidant à développer une attitude positive envers soi-même consiste à diviser en deux une petite carte d'aide-mémoire, en indiquant d'un côté le signe «+» et de l'autre, le signe «-». Chaque fois que vous avez une pensée sur vous-même, cochez le côté approprié de la carte. Après les avoir enregistrées pendant quelques jours pour déterminer le niveau de base de vos pensées, vous devriez vous fixer comme objectif d'augmenter le nombre de signes «+». Certaines personnes pensent qu'un signe «-» semble effacer plusieurs signes «+». Dans ce cas, l'objectif est de s'assurer que le côté positif est suffisamment élevé pour maintenir un équilibre positif. Les jours où vous aurez coché plusieurs signes «+» et seulement un ou deux «-», vous vous sentirez probablement relativement peu stressé.

Une autre technique simple mais efficace consiste à placer des rappels de nature positive aux endroits que vous fréquentez souvent. Ces rappels peuvent être des affiches avec un message positif tel: «Le moment de vous relaxer, c'est lorsqu'on n'en a pas le temps». Évitez des messages négatifs tels que: «Il est difficile de s'envoler avec les aigles lorsqu'on travaille avec des dindes», ou «Je l'ai finalement assemblé mais j'ai oublié où je l'ai mis.» Le rappel peut être une simple liste de cinq ou dix de vos qualités, simplement pour mettre l'accent sur ces qualités désirables. Les endroits appropriés pour afficher ces rappels sont le miroir de l'entrée, à côté du téléphone, sur la couverture intérieure d'un cahier de notes, ou à tout endroit où vous les remarquerez fréquemment. Trop souvent, les gens sont conscients de leurs défauts et de leurs problèmes mais ignorent leurs qualités. Le but de ces rappels positifs est de vous aider à éloigner votre attention de ces défauts et de la placer sur les qualités qui vous aideront à résoudre les problèmes. Il ne s'agit pas de nier la réalité, il s'agit de vous centrer sur vos forces et de vous donner la sorte d'encouragement dont vous avez besoin pour faire de votre mieux.

Une stratégie efficace pour réduire la rumination (certaines pensées obsessives), c'est l'arrêt de la pensée. La technique

consiste simplement à crier «Arrête» à voix basse, mais délibérément et avec force lorsque la rumination commence. Dès que
vous devenez conscient d'une pensée récurrente, dites-vous
d'arrêter. La pensée disparaîtra. Bien entendu, elle reviendra
cinq ou dix secondes plus tard, mais si cela se produit, criez à
nouveau à voix basse: «Arrête!» La pensée réapparaîtra
habituellement moins souvent et restera éloignée durant environ
dix minutes ou plus, après avoir été arrêtée environ trois fois.
Vous pourriez également essayer de porter votre attention sur
une autre pensée dès que vous arrêtez la rumination. Faites
attention de ne pas utiliser des phrases comme «Arrête, idiot!»,
car elles vous abaisseront à vos propres yeux. Évitez également
d'essayer de ne pas penser à la pensée troublante. Dès que vous
essayerez de «ne pas penser à quelque chose» vous en deviendrez
conscient. L'arrêt de la pensée est aussi simple qu'elle semble
l'être et est efficace dans une grande variété de situations, au
moment où des pensées troublantes et récurrentes deviennent
un problème[14].

Lorsqu'une pensée troublante persiste, un programme plus
détaillé tel le «Cognitive Stress Innoculation Training» (CSIT)
est indiqué[15]. Le CSIT commence en montrant aux gens à
surveiller leurs auto-énoncés pour leur faire identifier leurs
thèmes négatifs les plus communs. Ayant identifié ces thèmes
négatifs, les individus composent des auto-énoncés plus positifs
pour les remplacer. Ils répètent alors ces auto-énoncés positifs
jusqu'à ce qu'ils deviennent naturels. Au bout du compte, un
auto-énoncé négatif devient un signal de passer à une phrase
positive. Le CSIT est parfois utilisé en correspondance avec
l'arrêt de la pensée, de sorte que l'individu puisse d'abord noter
l'auto-énoncé négatif, puis crier «Arrête!», et passer à un auto-
énoncé plus positif. Le CSIT est parfois utilisé avec l'indice de
relaxation, de sorte que l'individu puisse noter l'auto-énoncé
négatif, utiliser l'indice de relaxation, et passer aux auto-énoncés
positifs. Le CSIT est utilisé dans plusieurs contextes différents
pour aider à contrôler le stress[16].

Approches relatives au comportement. Les stratégies de comportement dans la gestion du stress aident les gens à ralentir et à se comporter de façon moins hyperactive. Les gens stressés sont souvent «pressés»; ils affichent des comportements tels que marcher vite, parler vite, manger vite, être toujours à la dernière minute, penser à plusieurs choses en même temps, et essayer d'atteindre plusieurs buts à la fois[17]. Ce type de comportement augmente les niveaux de stress. Souvent, lorsque les gens ralentissent physiquement, ils se sentent également plus calmes. En particulier, ralentir votre rythme de marche, ou de manger, ou parler moins rapidement, vous aidera à vous sentir moins stressé. De même, les gens sont plus calmes lorsqu'ils ne pensent qu'à une chose à la fois, traitent les problèmes un par un ou prennent des décisions de façon séquentielle; ils finissent une chose ou marquent un signe de progression, et passent à la suivante, plutôt que de mener plusieurs choses de front. Il est souvent utile de faire une courte pause au milieu de la matinée et de l'après-midi, ou de quitter une situation exigeante pendant quelques instants, pour y revenir ensuite avec une nouvelle perspective. Ces techniques simples sont spécialement utiles les jours où les horaires sont très chargés et où vous semblez ne pas avoir le temps de ralentir. Bien entendu, si vous vous dites toujours à vous-même: «Tu ne finiras jamais si tu ne te dépêches pas, idiot», les effets du ralentissement disparaîtront. Ainsi, il est important de s'assurer que vos auto-énoncés sont un soutien à votre nouveau comportement. Rappelez-vous le vieux dicton: «Plus je me dépêche, moins j'avance» et remplacez-le par celui-ci: «Qui va lentement va sûrement.»

RÉSUMÉ

La Figure 23-2 fournit un plan sensé pour éliminer le stress. La première question consiste à se demande: «Est-ce que je veux me concentrer sur la situation ou sur ma réaction?» Si possible, il est préférable de se concentrer sur la situation. Vous devez savoir ceci: «Est-il possible de changer la situation pour la rendre moins exigeante ou serait-il préférable d'acquérir de nouvelles habiletés pour faire face au problème?» Si l'une des deux possibilités est adoptée, alors on évitera le stress. Si aucune n'est possible, on devrait prêter attention au stress lui-même. Ici, la question à poser est celle-ci: «Qu'est-ce que je peux faire pour réduire mes réactions physiologiques, cognitives ou pour modifier mon comportement dans cette situation?» Une approche sensée consiste à surveiller vos réactions de stress pendant une ou deux semaines pour voir si vous avez tendance à répondre de façon physiologique, cognitive ou par des comportements typiques au stress. Vous pourrez alors commencer à pratiquer une des stratégies expliquées dans ce chapitre afin de contrôler ces réactions.

Anxiété reliée aux examens: une illustration intégrée

L'anxiété causée par un examen est l'un des problèmes les plus communs qu'expérimentent les étudiants. Utilisons ce type d'anxiété pour illustrer comment on peut aborder ce problème grâce aux approches suggérées dans ce chapitre. Si vous êtes ennuyé par le stress au cours des examens, la première étape devrait être de vérifier si vous avez des raisons objectives d'être stressé pendant les examens. Étudiez votre situation. Il est important que vous ayez assisté aux cours; que vous ayez été attentif durant les cours; que vous ayez pris un temps raisonnable pour étudier; et que vous ayez étudié la matière qui est objet de l'examen. L'étape suivante est de vous assurer que vous avez les habiletés nécessaires pour bien réussir. Il est important que vous puissiez prendre des notes de cours qui contiennent les éléments importants et qu'elles soient organisées de façon logique. L'habileté à étudier et à gérer son temps est également importante, tout comme une stratégie d'examen qui optimise votre temps au cours de l'examen écrit.

Il est clair que les suggestions précédentes sont des conditions préalables pour éviter l'anxiété des examens. Si vous structurez les situations de manière à atteindre le succès, et si vous réussissez à acquérir les habiletés nécessaires pour maîtriser votre matière d'examen, l'anxiété disparaîtra probablement. Il n'est évidemment pas très sensé d'apprendre à être calme si vous n'avez pas maîtrisé la matière, et si vous ne vous êtes pas préparé pour l'examen.

Si vous possédez les habiletés nécessaires pour bien réussir mais que vous êtes tout de même anxieux, il devient alors approprié d'examiner votre stress. Vous devriez probablement vous concentrer sur les réactions physiologiques ou sur les modèles de vos auto-énoncés. Si vous avez les mains moites, un estomac nerveux, des muscles qui sautent, ou des symptômes plus sérieux tels que des maux de tête, vous êtes probablement candidat à une certaine forme d'entraînement à la relaxation. Si vous souffrez d'auto-énoncés qui créent de l'interférence («Tu vas encore faire une gaffe», «Je ne suis pas capable de passer des examens», ou «Je deviens toujours nerveux et j'oublie tout ce que j'ai étudié») vous êtes un meilleur candidat pour l'approche cognitive qui vise à développer des auto-énoncés plus encourageants et plus positifs. Si vous expérimentez les deux sortes de stress, rassurez-vous en vous disant que lorsqu'un groupe de symptômes commence à changer, l'autre change aussi habituellement. Par exemple, lorsque les gens s'adonnent à la relaxation et qu'ils se contrôlent grâce aux indices afin de se calmer au cours d'un examen, leurs auto-énoncés ont tendance à devenir plus positifs. De même, lorsque les gens prennent des habitudes d'auto-énoncés plus positifs, ils deviennent plus relaxés physiologiquement. Vous pourriez essayer de combiner les stratégies afin de vous assurer que votre état physiologique et vos pensées vous disposent à un rendement optimal. Les programmes de relaxation mentionnés précédemment fonctionnent bien avec l'anxiété aux examens, et plusieurs excellents programmes cognitifs pour le stress aux examens ont été développés et éprouvés[18].

Ce chapitre ne fera pas évidemment de tous les lecteurs des maîtres du contrôle du stress, mais il peut servir de point de départ. Si vous rejetez la notion que le stress est une caractéristique inévitable des temps modernes (spécialement de la vie d'un enseignant) et le voyez plutôt comme un désaccord entre les exigences des situations et les possibilités d'y répondre, vous serez sur la bonne voie pour le contrôler. Le stress peut être géré. Grâce à la pratique et à la consultation, les étudiants-maîtres peuvent obtenir un contrôle sur le stress qu'ils éprouvent, se prémunir contre le mythe de l'enseignant stressé, et faire de l'enseignement une expérience plus heureuse.

EXERCICES RÉFLEXIFS ET RECHERCHE DE SOLUTIONS

1. Sur une période de deux semaines, surveillez les exigences que vous rencontrez, en notant les situations que vous jugez exigeantes, les stratégies utilisées pour traiter ces exigences, l'efficacité de ces stratégies, et vos niveaux de stress dans ces situations. Il est important de consigner par écrit l'information dès que les exigences surviennent plutôt que d'essayer de les retracer en fin de la journée. J'utilise une échelle de dix points pour quantifier mes réactions. Pour noter les niveaux de stress, 0 = aucun stress, et 10 = le plus haut niveau de stress que j'expérimente; pour enregistrer l'efficacité de la réponse, 0 = pas du tout efficace et 10 = tout à fait efficace. Utilisez un petit bloc-notes format poche, et séparez chaque page en cinq colonnes: une pour noter le moment de la journée, une pour écrire quelques mots permettant d'identifier la situation, une pour le niveau de stress (0-10), une pour enregistrer la façon dont vous avez réagi à la situation, et une pour en juger l'efficacité (0-10). Après une période de deux semaines, vous devriez voir apparaître un certain modèle. Vous pouvez partager avec les autres étudiants les habiletés utilisées pour composer avec les exigences normales, les secteurs qui pourraient profiter d'un apprentissage d'habiletés, et toutes stratégies de gestion du stress (physiologiques, cognitives, ou de comportement) sur lesquelles vous aimeriez concentrer votre attention.

2. Engagez-vous en groupe ou individuellement pour apprendre des stratégies de gestion du stress. Le progrès dans l'apprentissage d'une stratégie devrait faire l'objet de quelques rencontres de groupes de support. Concentrez-vous sur une stratégie (par exemple, la relaxation progressive) pendant trois ou quatre semaines afin d'avoir l'occasion de pratiquer la stratégie et de lui donner le temps de fonctionner.

3. Formez un groupe de support suffisamment nombreux. Utilisez les grandes lignes du guide suivant:

- Ne partagez que les expériences positives;
- Ne donnez aucun conseil à moins qu'on ne le sollicite de façon explicite;
- N'apportez des problèmes au groupe que sous la forme de tentatives de solutions; par exemple, partagez ce qui a déjà été tenté, montrez comment cela a fonctionné, et essayez de faire naître de nouvelles solutions possibles.

Notes

1. Voir Hiebert, B. (1985). *Stress and teachers: The Canadian scene.* Toronto: Canadian Education Association.
2. Voir Lazarus, R. R. (1974). Cognitive and coping process in emotion. Dans B. Weiner (Ed.), *Cognitive views of human motivation.* New York: Academic.
3. Voir Albrecht, K. (1979). *Stress and the manager: Making it work for you.* Englewood Cliffs: Prentice-Hall; et Kasl, S. V. (1984). Stress and health. Dans Breslow, L., Fielding, J. E., & Lave, L. B. (Eds.). *Annual review of public health, 5.* Palo Alto: Annual Reviews Inc.
4. Ceux qui seraient intéressés par d'autres applications peuvent consulter Greenberg, J. S. (1984). *Managing stress: A personal guide.* Dubuque: William C. Brown; Hiebert, B. (1983). A framework for planning stress control interventions. *The Canadian Counsellor, 17*, pp. 51-61; Hiebert, B. & Basserman, D. (1986). Coping with job demands and avoiding stress: A gram of prevention. *The Canadian Administrator, 26*, pp. 1-6; Mason, L. J. (1980). *Guide to stress reduction.* Culver City: Peace Press.
5. Coates, T., & Thoresen, C. (1976). Teacher anxiety: A review with recommendations. *Review of Educational Research, 46*, pp. 159-184.
6. Hiebert, B., & Farber, I. (1984). Teacher stress: A literature survey with a few surprises. *Canadian Journal of Education, 9*, pp. 14-27.
7. Les étudiants-maîtres qui désirent avoir plus d'information sur la gestion de classe peuvent se référer à Charles, C. M. (1985). *Building classroom discipline: From models to practice.* New York: Longman; Good, T. H., & Brophy, J. E. (1978). *Looking in classrooms* (2nd Ed.). New York: Harper & Row; ou Martin, J. (1983). *Mastering instruction.* Boston: Allyn & Bacon.
8. Pour les programmes complets de gestion du temps, voir Ferner, J. D. (1980). *Successful time management: A self-teaching guide.* New York: John Wiley & Sons; ou Lakein, A. (1973). *How to get control of your time and your life.* New York: Signet.
9. Pour d'excellentes guides sur la façon d'établir un programme d'exercice voir Cooper, K. H. (1970). *The new aerobics.* New York: Bantam; et Greenberg, J. S. (1984). *Managing stress: A personal guide.* Dubuque: William C. Brown.

10. Mason, L. J. (1980). *Guide to stress reduction*. Culver City: Peace Press. Ce guide offre un compte rendu très facile à lire sur le rôle de la nutrition dans le stress.

11. Pour des programmes plus complets, les lecteurs peuvent consulter des sources comme: Greenberg, J. S. (1984). *Managing stress: A personal guide*. Dubuque: William C. Brown; Hiebert, B. (1983). A framework for planning stress control interventions. *Canadian Counsellor, 17*, pp. 51-61; ou Mason, L. J. (1980). *Guide to stress reduction*. Culver City: Peace Press.

12. Benson, H. (1975). *The relaxation response*. New York: Morrow.

13. Pour des exemples voir Kanfer, F. H. & Goldstein, A. P. (1986). *Helping people change: A textbook of methods* (3ʳᵈ Ed.). New York: Pergamon; ou Martin, J., & Martin, W. (1983). *Personal development: Self-instruction for personal agency*. Calgary: Detselig.

14. Pour plus d'information voir Cormier, W. H., & Cormier, L. S. (1985). *Interviewing strategies for helpers: Fundamental skills and cognitive-behavioral interventions* (2ⁿᵈ Ed.). Monterey: Brooks/Cole.

15. Voir Meichenbaum, D. (1975). A self-instructional approach to stress management: A proposal for stress inoculation training. Dans Speilberger, C. D., & Sarason, I. G. (Eds.), *Stress and anxiety*. New York: Wiley.

16. Les étudiants-maîtres qui désirent des renseignements plus complets peuvent consulter Cormier, W. H., & Cormier, L. S. (1985), *op. cit.* ou des manuels d'instruction tel Wallace, L. (1984). The development of a self-instructional training manual for the treatment of test anxiety in high school students. *IPRG Development Report No. 85-1*. Burnaby, B. C.: Simon Fraser University, Instructional Psychological Research Group.

17. *Ibid.*

18. Merrick, R. (1984). Instructional counselling manual for the reduction of test anxiety in secondary school students. *IPRG Development Report No. 85-2*, S.F.U., Burnaby, B. C.; et Wallace, L. (1984). The development of self instructional training manual for the treatment of test anxiety in high school students. *IPRG Development Report No. 85-1* ; et Haynes, C. R., Marx, R. W., Martin, J., Wallace, L., Merrick, R., & Einarson, T. (1983). Rationale emotive counselling: Self instruction training for test anxious high school students. *Canadian Counsellor, 18*, pp. 31-38.

19. Howard, J., Cunningham, D. & Rechnitzer, P. (1978). Rusting out, burning out, bowing out: Stress and survival on the job. New York: MacMillan.

Chapitre 24

INQUIÉTUDES DE L'ENSEIGNANT AU COURS DE LA PREMIÈRE ANNÉE D'ENSEIGNEMENT

Sharon Snow

SHARON SNOW *enseigne l'anglais et la danse au Hastings Junior Secondary School à Coquitlam en Colombie-Britannique (C.-B.). Son intérêt pour la formation des maîtres a pris naissance lorsque, à titre d'enseignante pour la première année de sa vie, on lui demanda de présenter au congrès de WESTCAST 1983 un aperçu des impressions qu'elle avait retenues au cours de sa première année d'enseignement. L'année suivante, elle aida à planifier et à coordonner un atelier de district pour les enseignants et les étudiants-maîtres de Trail (C.-B.), dans le but de traiter quelques problèmes de communication qui surviennent au cours du stage.*

Tout de suite après la remise des diplômes, le plus gros obstacle que mes collègues et moi avons rencontré, c'est la difficulté d'obtenir un emploi dans l'enseignement. Cependant, j'ai vite réalisé que je devais faire face à un obstacle encore plus important et à un défi beaucoup plus inquiétant lorsqu'à la fin de juillet je reçus un télégramme dans lequel on me faisait parvenir une offre d'emploi. J'ai alors réalisé que dans quatre courtes semaines je devrais commencer à me comporter comme une professionnelle aguerrie.

Sept mois de ma première année d'enseignement se sont écoulés depuis, et je réalise que mes anxiétés étaient en fait bien fondées. Toutefois, alors que par le passé je me suis déjà sentie dépassée par l'étendue et la variété des problèmes auxquels je me trouvais confrontée – comme par quel secteur de mon cours dois-je commencer, quels textes dois-je utiliser pour atteindre mes objectifs, où vais-je trouver des ressources supplémentaires

– je sais maintenant que je suis capable de maîtriser ces défis et bien d'autres. Je me suis finalement dotée d'un certain nombre de techniques nécessaires pour rendre mon travail quotidien d'enseignement plus facile. En fait, j'ai beaucoup appris sur des sujets tels que la planification à long terme, la tenue quotidienne et semestrielle de mon cahier de préparation de classe, le calcul des notes, les habiletés de communication (avec les parents et les collègues) et la gestion du temps.

Les scénarios qui suivent illustreront les difficultés que j'ai rencontrées au cours de ma première année d'enseignement, difficultés qui auraient pu être évitées si j'avais possédé certaines habiletés de survie grandement nécessaires.

D'abord, il me faut reconnaître que les cours universitaires et mes stages m'ont préparée pour l'enseignement de multiples façons. Au cours de ma formation universitaire, on m'a enseigné des techniques et fourni l'information de base nécessaire pour enseigner dans mon domaine. Si mes élèves manquaient un cours, un test ou un devoir, j'avais appris à faire rapidement les ajustements qu'exige la présentation du matériel et à m'arranger pour qu'ils puissent reprendre le travail escamoté. Mes stages m'ont donné l'occasion d'appliquer des techniques, mais aussi le temps d'acquérir par moi-même les habiletés de gestion de classe qu'il faut absolument maîtriser si l'on veut composer avec les défis quotidiens qu'on rencontre dans l'enseignement. J'ai hautement apprécié l'occasion qu'on m'a donnée de constater par moi-même quelles habiletés de gestion de la classe étaient les plus efficaces et avec quelles techniques je me sentais particulièrement à l'aise. De plus, j'ai vite appris à ajuster mes leçons et à modifier mes plans pour les adapter à des classes spécifiques et à des élèves spécifiques, en tenant compte de leurs besoins et des miens.

Ceci dit, à plus d'un point de vue, il me faut ajouter que je ne me sentais pas complètement prête à enseigner. Par exemple, dès que je me suis présentée à mon travail, on me demanda de fournir à l'administration, pour chacune des matières que j'allais enseigner, un aperçu des cours que je me préparais à dispenser durant les trois premiers mois. Cet aperçu devait inclure la liste de chaque concept qui serait abordé, une indication des examens, des tests et des travaux envisagés, et une liste complète et détaillée de l'évaluation dans chaque domaine particulier. Je dois admettre que la préparation de cet aperçu m'a fait perdre beaucoup de sommeil; je ne savais tout simplement pas par où commencer. J'ai peut-être réagi fortement à ce défi parce que le plus long stage que j'avais eu à préparer n'avait duré que quatre semaines. Le bon sens me dicta certains lieux évidents par où commencer, mais parce que ma matière – l'anglais – permet une certaine flexibilité, je me suis sentie dépassée. Je n'avais tout simplement pas l'expérience, ces habiletés qu'on acquiert en examinant les plans de cours qu'ont utilisés d'autres enseignants dans le passé, pour préparer ne serait-ce qu'une ébauche de mes cours pour les trois prochains mois.

Le fait que je ne savais pas comment ou quand demander de l'aide d'enseignants expérimentés ne m'a pas aidée à relever ce défi. J'ai appris cette leçon au début de novembre lorsque, sur le point d'éclater en sanglots, je présentai un problème à mon directeur de département. Je ne connaissais pas suffisamment un certain concept, exigé spécifiquement par mon département, pour l'enseigner avec confiance. Le directeur offrit de venir donner ce cours à ma place tandis que je l'observerais. Ma réaction fut d'abord la surprise, ensuite l'enchantement. Il m'a donné l'occasion de le regarder enseigner, et par la suite j'ai donné ce même cours à une autre classe. Évidemment, j'ai été fort chanceuse d'avoir affaire à un directeur de département aussi compréhensif et prêt à donner autant de soutien; cependant, je suis certaine que, dans tout corps enseignant, on peut trouver des enseignants tout aussi compréhensifs et disposés à offrir autant d'aide. En fait, j'ai appris à faire appel aux autres membres du personnel à titre de personnes-ressources, tout en admettant qu'un nouvel enseignant ne peut pas posséder l'expertise pour tout enseigner à la perfection. J'ai aussi appris que, dans mon district, on offrait et encourageait des journées de développement professionnel consistant à aller assister, dans n'importe quelle

215

école du district, à des classes données par des enseignants experts. Un peu plus tard, j'ai eu le temps d'examiner des exemples de plans de cours offerts par notre fédération d'enseignants, et j'ai trouvé des cahiers pleins de plans de cours semblables à notre centre local de ressources.

Après avoir trié ces problèmes à l'aide d'exemples et avec le support du personnel enseignant, planifié mes cours et commencé à enseigner, un autre dilemme m'attendait: comment faire la preuve concrète de la réussite des élèves qu'exige le ministère de l'Éducation dans ses règles d'évaluation, compte tenu de la pratique de la progression dans les degrés scolaires. Bien entendu, j'avais corrigé des examens au cours de mon stage et passé à travers la correction de toutes sortes de travaux et d'examens au cours de la première partie de mon année scolaire. Néanmoins, je n'étais pas préparée à transformer certaines notes telles que l'évaluation de la présence en classe, la participation, les devoirs, les examens et les tests, en une note littérale finale de degré scolaire. Pour quelqu'un qui a souvent de la difficulté à équilibrer son carnet de chèques, la tâche me semblait un véritable cauchemar! Je fus finalement sauvée par un membre du personnel enseignant, un valeureux génie mathématique, qui me surprit un soir que j'essayais de démêler une liste de données. Il me montra rapidement quelques étapes faciles à suivre – comment convertir les points et leur donner une valeur représentative – et me laissa avec un sentiment de confiance. Ce que j'ai vite appris par moi-même et à travers des discussions informelles, souvent en dînant avec les autres membres du personnel, c'est à évaluer de manière réaliste la participation en classe. Cette note est particulièrement importante pour les élèves car elle évalue leur attitude, leur comportement, leur intérêt et leur disposition à apprendre en classe. Les adolescents ne pensent que rarement à cet aspect du travail scolaire; il devenait alors particulièrement important de donner une note juste. À nouveau, le personnel enseignant fut pour moi une ressource inestimable.

Quoi qu'il en soit, je ne me sentais pas du tout confiante lorsqu'on annonça la première rencontre avec les parents. Comment s'y prendre pour gérer une rencontre positive avec les parents dans un laps de temps restreint; j'avoue qu'on ne m'a jamais enseigné cette habileté. Juste comme je prenais position derrière la «ligne de feu», les parents commencèrent à arriver. Je me suis demandé pourquoi on ne m'avait pas appris des techniques pour survivre à une telle soirée. Aujourd'hui, comme bien d'autres enseignants, je considère que j'ai une intelligence au-dessus de la moyenne et je me sens bien dans ma peau. Alors, quand j'étais à l'université, pourquoi n'ai-je pas pensé de demander au cours de ma dernière année en stage d'assister à au moins une rencontre entre mon maître-hôte et les parents? Pourquoi n'ai-je pas demandé à assister aux rencontres avec les parents des élèves à qui j'ai enseigné au cours de mon stage? L'université n'aurait-elle pas pu exiger comme condition pour devenir un maître-hôte, que celui-ci initie le stagiaire à ces rencontres? J'étais choquée et frustrée en constatant que j'avais quitté l'université sans avoir eu un avant-goût de ce que représente une telle soirée.

Finalement, après avoir réussi à trier plusieurs problèmes relatifs à mes pratiques en classe, je me suis retrouvée engagée dans à peu près toutes les activités scolaires imaginables. J'ai entraîné une équipe féminine de volley-ball, présidé le conseil étudiant de neuvième année, supervisé un certain nombre de danses, jugé le tournoi des «étoiles» de basket-ball, et me suis portée volontaire pour créer et organiser le spectacle de Noël et recruter les enseignants à cette fin. De plus, j'ai accepté d'être membre du comité chargé de travailler à une révision critique des bulletins, j'ai assisté aux rencontres du personnel, aux assemblées du département, aux assemblées d'une association locale, et j'ai participé à des ateliers. J'ai consacré tout mon temps et toute mon énergie aux activités de l'école ou reliées à l'école. Évidemment, j'avais lu sur la gestion du temps. Mais si j'avais eu un cours sur la gestion du temps, j'aurais tout de suite réalisé qu'au cours de sa première année d'enseignement un enseignant qui est sain d'esprit est tellement occupé par ses préparations de classe et ses corrections, qu'il ne lui reste à peu près pas de temps pour d'autres activités. J'aurais pu prévoir que c'est après avoir enseigné pendant un an que l'on est le mieux préparé à faire correctement la gestion de son temps; alors seulement, on a une idée plus réaliste des exigences de il'enseignement en ce qui touche le temps, et l'on peut organiser son horaire efficacement et de façon pratique. Mais qu'en est-il des nouveaux enseignants? Doivent-ils se préparer à des nuits sans sommeil et envisager qu'ils n'auront aucun temps libre? Je suis certaine que j'aurais beaucoup appris si, au cours de mes cinq années à l'université, la Faculté, le Module ou le conseil des étudiants avait organisé avec des enseignants en poste, une table ronde destinée aux étudiants-maîtres et ayant pour thème ce que comporte un emploi dans l'enseignement, et quelles sont les exigences de cette profession en ce qui a trait au temps.

En me basant sur mon expérience, j'aimerais faire un certain nombre de suggestions et de recommandations aux futurs nouveaux enseignants et à leurs professeurs d'université.

D'abord, on devrait concevoir la formation des maîtres comme l'enseignement d'habiletés pratiques. Je veux bien que les théories en éducation constituent une composante nécessaire et essentielle de la formation des maîtres, mais je crois qu'on ne devrait pas y insister plus que sur l'apprentissage des techniques quotidiennes. En fait, les aspects théoriques en éducation devraient constituer un complément aux habiletés de survie pratiques, plutôt que de prendre le pas sur elles en importance.

Certaines habiletés pratiques de survie peuvent être enseignées très tôt. Par exemple, pour régler le problème de la planification à long terme, les étudiants-maîtres devraient créer les plans de cours d'une unité d'enseignement avant de s'engager dans leur stage. Les futurs enseignants devraient faire un pas de plus en préparant l'ébauche d'un cours complet de l'année scolaire. Il faut, en faisant cela, tenir compte des guides que fournit le ministère de l'Éducation, des attentes de l'administration scolaire et des besoins des élèves. On devrait pouvoir se procurer des plans de cours préparés par d'autres enseignants de son district scolaire ou dans d'autres districts, puis prendre le temps de les analyser et les utiliser si possible.

De plus, on devrait encourager les enseignants qui se trouvent en cours de probation durant leur première année d'enseignement, à recourir à l'expertise des enseignants qui font partie du personnel de l'école. Trop souvent, les enseignants en probation sont portés à croire que demander de l'aide, c'est avouer qu'ils ne maîtrisent pas certaines connaissances ou certaines habiletés, et ils craignent alors que cela n'affecte leur évaluation finale; et il est fréquent que l'enseignante responsable n'encourage pas de tels recours. Il est évident que tous deux doivent faire plus que simplement acquiescer du bout des lèvres à l'idée que la probation est une expérience d'apprentissage. Les enseignants en probation ne devraient pas avoir peur d'admettre qu'ils ne connaissent pas tout; ils devraient demander à voir des plans de cours, des copies de travaux corrigés, et pouvoir assister aux cours donnés par d'autres enseignants. Plusieurs commissions scolaires adoptent maintenant des programmes de probation où un membre du personnel enseignant plus expérimenté encourage et conseille les nouveaux enseignants. Son travail consiste à conseiller plutôt qu'à évaluer formellement et, par conséquent, cette expérience n'est pas menaçante pour le nouvel enseignant. Les enseignants en période de probation devraient vérifier auprès de leur commission scolaire si on y offre un tel programme. Pourquoi un enseignant devrait-il faire 20 ou 30 ans d'expériences isolées avant d'apprendre des leçons inestimables?

De plus, les futurs enseignants doivent apprendre un langage d'évaluation qui soit autre chose que la connaissance de l'écart-type et de l'histogramme. On devrait montrer aux étudiants-maîtres comment considérer toutes les variables qui jouent un rôle dans la détermination d'une note de fin de session. De plus, on devrait inviter des enseignants d'expérience aux cours de méthodologie dispensés à l'université et leur demander de faire une démonstration des stratégies qu'ils utilisent dans leur notation et d'exposer leurs cahiers de notation. De cette façon, les étudiants-maîtres pourraient examiner des exemples spécifiques réels de la façon dont on parvient à établir une note de fin de session; ils verraient des exemples concrets et réels de toutes les composantes du processus d'évaluation de l'élève.

De plus, puisqu'il faut consacrer beaucoup de temps aux rencontres parents-enseignants, les universités devraient offrir un cours obligatoire conçu aux fins d'aider les enseignants à communiquer de façon efficace avec les parents. Les étudiants-maîtres devraient être encouragés à assister aux rencontres des parents avec leurs maîtres-hôtes, que ce soit pendant la période de stage ou au cours de la session où les rencontres ont lieu. Ces activités aideraient l'étudiant-maître à savoir comment traiter les parents et rendraient les rencontres beaucoup plus significatives et satisfaisantes tant pour les parents que pour les enseignants.

Finalement, les enseignants qui se trouvent dans leur première année d'enseignement doivent examiner de près leurs priorités. Ils possèdent le plus haut niveau d'énergie et d'enthousiasme de tous les membres du personnel, mais une grande partie de cette énergie doit être consacrée à l'enseignement comme tel. Les universités devraient offrir des cours sur la gestion du temps de sorte que les futurs enseignants soient capables de composer avec les diverses exigences de leur profession, en temps et en énergie.

La première année d'enseignement est à la fois excitante et pleine de défis. Cependant, pour plusieurs, elle peut devenir décourageante. Munis des habiletés nécessaires de survie, vous pourrez faire face avec confiance aux exigences et aux défis que représente cette profession. Par contre, n'oubliez pas que vous êtes en partie responsable de votre avenir. Avant la fin de vos études, évaluez le programme de votre université. Le programme répond-il à vos besoins? Si non, demandez ce dont vous avez besoin, posez des questions, demandez de l'aide à la Faculté ou au Module soit par vous-même, soit par l'entremise de votre association étudiante. Commencez votre première année d'enseignement en vous préparant à faire face aux exigences et à relever les défis qui font de l'enseignement une profession vraiment passionnante.

EXERCICES RÉFLEXIFS ET RECHERCHE DE SOLUTIONS

1. On vous a demandé de soumettre une ébauche des trois premiers mois de votre cours ou d'un sujet du programme de la classe. Par où commencerez-vous? Qu'enseignerez-vous en premier lieu? Quand et comment ferez-vous pour inclure dans votre projet des examens, des tests objectifs et des projets de travaux?
2. À titre de nouvel enseignant, vous devriez connaître les personnes-ressources qui sont prêtes à vous aider. De qui s'agit-il?
3. Considérez les points suivants et voyez quel pourcentage vous devriez accorder à chacun pour la session:
   a) examen de fin de session;
   b) examens;
   c) tests objectifs;
   d) laboratoires/projets;
   e) travail oral;
   f) présence;
   g) participation;
   h) devoirs.
4. Un étudiant échoue dans votre cours. Comment allez-vous vous préparer à la rencontre parents-enseignant?

UNE PIÈCE EN TROIS ACTES: SCHÉMA D'UNE FORMATION PROFESSIONNELLE CONTINUE

Ian Andrews

IAN ANDREWS *a participé activement à toutes les phases de la formation des maîtres au cours des 15 dernières années: d'abord comme associé dans le district scolaire de Coquitlam; puis comme associé facultaire, consultant, coordonnateur de programme et adjoint du directeur du programme de développement professionnel de l'Université Simon Fraser. Il est actuellement directeur des programmes internationaux en éducation des adultes au Vancouver Community College. Le docteur Andrews travaille également comme consultant en formation des maîtres et en éducation physique, et fait des ateliers sur le développement du personnel, l'éducation à distance, l'amélioration scolaire, l'animation des pairs et la supervision. Il a écrit de nombreux articles et rapports sur les trois phases de la formation des maîtres et est coauteur de* Alternative Models of Staff Development, *avec Marvin Wideen. De plus, il aime la danse et joue au soccer.*

À titre d'étudiant-maître immergé dans les différents défis de votre programme de formation des maîtres, il vous arrive peut-être à l'occasion de rêver que vos cours et votre formation pratique sont déjà terminés. Les travaux sur les devoirs des enfants, l'enregistrement sur vidéo de vos leçons, les visites régulières de supervision effectuées par le personnel de l'université et de l'école sont quelques-unes des activités qui occupent constamment votre temps et votre énergie. De plus, plusieurs d'entre vous commencent à considérer ce qu'exigent la recherche d'un emploi, les entrevues et l'organisation de ses ressources d'enseignement pour entreprendre l'exercice d'un premier emploi officiel.

Le chapitre de Sharon Snow a mis l'accent sur les nombreux défis auxquels font face les étudiants-maîtres. Comme elle le suggère, les occasions de se préparer à faire face à ces défis au cours de la formation des maîtres doivent être exploitées par chacun d'entre vous afin de minimiser quelques-unes des frustrations et des difficultés inattendues que connaissent les débutants. Les autres chapitres de ce livre auraient dû éclairer plusieurs questions auxquelles vous vous sentez confronté en tant qu'enseignant-débutant. Chaque auteur vous a encouragé à réfléchir sur votre expérience de formation des maîtres à la lumière d'idées pratiques et théoriques. De plus, chaque auteur a tenté de vous aider à faire le pont entre la période de votre formation et les premières années d'enseignement – cette phase de transition de votre carrière.

Dans ce chapitre final, j'ai l'intention de vous présenter un modèle conceptuel qui devrait vous aider à voir plus clairement, dans vos activités de développement professionnel, les liens qui unissent la phase de formation initiale, la période transitoire du stage probatoire et celle de votre croissance continue à titre de professeur en poste. En examinant ce modèle, j'espère que vous reviendrez sur les quatre questions qu'on a posées plus tôt dans ce livre: *Quel type d'enseignant je veux devenir? Quelle est ma façon d'envisager les contenus d'enseignement et de les exploiter? Comment je considère et utilise la connaissance? Comment vais-je tirer le maximum de mon stage d'enseignement? Comment vais-je savoir exploiter les ressources du milieu pour me développer au plan professionnel?* Ces questions peuvent engendrer une discussion plus élaborée avec vos superviseurs au cours de vos séminaires de formation initiale et vous affermir dans la préparation de la première tâche que vous accomplirez dans votre premier emploi d'enseignant.

Dans le développement d'un modèle de croissance professionnelle de l'enseignant, une des approches consiste à utiliser une théorie, comme l'a fait Alan Wheeler au chapitre 15: *La croissance professionnelle vue à travers des manifestations d'inquiétude.* Pour ma part, plutôt que de puiser dans les paradigmes scientifiques, technologiques ou de gestion les plus valables à l'heure actuelle aux fins de développer une théorie pertinente, je vais plutôt utiliser une métaphore structurelle que je puise dans la littérature, celle d'une pièce de théâtre en trois actes. Cela me permettra de présenter un schéma de programme qui décrit les composantes complémentaires et interdépendantes de la carrière professionnelle de l'enseignant.

J'ai assisté récemment à une pièce de théâtre fascinante en trois actes de J.M. Synge intitulée *The Playboy of the Western World* [1]. Il s'agit d'une étude passionnante de la transformation intérieure d'un personnage dans laquelle Synge illustre, au cours de chaque acte de la pièce, comment son héros, Christopher Mahon, se voit affecté par les événements et les circonstances. En quittant le théâtre, accompagné d'un ami, nous nous sommes retrouvés au restaurant, avons commandé un café et des croissants, et commencé à discuter au sujet du drame auquel nous venions d'assister. Tous les deux, nous étions ébahis par la façon dont Synge avait rédigé sa pièce. La trame des trois actes de la pièce est soigneusement présentée tout en laissant à chaque acte son propre impact dramatique. Ce modèle structural consiste à montrer *le développement du personnage principal à travers chaque scène successive**, tout en les reliant toutes à l'intérieur d'une seule pièce en trois actes. Nous étions également impressionnés par le résultat final de l'engagement dramatique du héros de Synge qu'on n'a pu vraiment apprécier qu'au dernier acte, au moment où le rideau tomba.

Notre conversation se poursuivait, et comme nous commencions à nous informer de nos projets actuels une idée intéressante me vint à l'esprit. Alors que je répondais à une question sur le progrès de ce livre, *Devenir enseignant,* un lien merveilleux avec la pièce de Synge m'apparut. J'essayais de décrire comment les trois composantes de la formation des maîtres – formation initiale, période transitoire du stage

---

* N.d.T. C'est nous qui soulignons.

probatoire et formation continue en cours d'emploi – devraient être interreliées dans le but de favoriser le développement professionnel continu de l'enseignant, alors que quelques instants auparavant, nous discutions de descriptions semblables en analysant ensemble la structure en triade de la pièce de Synge. Je me suis mis soudainement à réaliser que pour saisir les transformations intérieures qui s'opèrent durant ces trois périodes du développement professionnel d'un enseignant, à savoir la formation initiale, la période transitoire du stage probatoire et la formation continue en cours d'emploi, on peut se référer à la composition bien structurée d'une pièce de théâtre en trois actes. Les modèlse conceptuel et organisationnel de ces deux types d'entités sont définitivement interreliés au moyen de cette métaphore. En fait, la qualité synergétique de chaque entité est fort semblable, aussi surprenant que cela puisse paraître.

Tout drame possède un thème central ou une morale. La manifestation de ce thème à l'intérieur d'une pièce en trois actes utilise le déroulement des séquences de l'histoire pour intensifier progressivement le thème dramatique. Dans la formation des maîtres, ou plus spécifiquement dans le développement professionnel des enseignants, un thème central peut relier la séquence des expériences de l'enseignant dans chacune des trois phases de ses périodes de formation: la formation initiale, la phase transitoire du stage probatoire et la formation continue en cours d'emploi.

Actuellement, à titre d'étudiant engagé en formation des maîtres, vous êtes le héros principal de la phase initiale de votre développement professionnel. Cette étape étant complétée, vous entrerez dans la phase transitoire de votre développement professionnel. Vous serez à nouveau le personnage principal de ce second acte de la pièce, expérimentant toutes les joies et connaissant tous les défis de votre période de probation. Finalement, le troisième acte débute lorsque vous quittez les années de probation et entrez dans la phase de développement professionnel continu de votre carrière dans l'enseignement. Cet acte est moins structuré, puisqu'il se termine seulement lorsque vous quittez l'enseignement, étant donné qu'aucun règlement institutionnel ou gouvernemental ne requiert un rendement professionnel spécifique autre que celui qui correspond aux standards de la loi sur l'éducation de votre province.

Examinons de plus près les implications de chacun de ces trois actes de votre développement professionnel au cours de votre carrière. N'oubliez pas qu'un bon drame se trouve réalisé seulement lorsque le scénario de chaque acte fournit un ensemble global et intégré d'actions qui ont des valeurs indépendantes à l'intérieur du déroulement général de la pièce.

PREMIER ACTE: FORMATION INITIALE

Les programmes de formation initiale des maîtres qui conduisent à la certification sont habituellement plus prévisibles et plus uniformes que les deux autres étapes de la croissance professionnelle. Des structures provenant des gouvernements et des institutions universitaires confèrent une certaine homogénéité aux programmes de formation des maîtres. Les exigences d'admission, incluant les conditions préalables et les notes requises, se trouvent au début de cette phase du continuum professionnel. L'organisation du programme d'études comprend et encourage l'individualisation de chaque programme de formation initiale des maîtres. Elle peut refléter des priorités telles que les disciplines scolaires, le développement de l'étudiant, les livres et les concepts de base, les problèmes sociaux ou les compétences choisies[2]. Vous pourriez discuter avec vos collègues et vos chargés de formation pratique universitaires quelles sont les priorités et les orientations qui prédominent dans votre programme de formation initiale. L'accent mis sur le contenu du programme, l'élaboration et la flexibilité du programme selon le choix de l'étudiant, et le lieu d'apprentissage (sur le campus ou dans les écoles) sont des exemples d'éléments qui peuvent caractériser votre programme.

En réfléchissant sur l'analogie du drame, il devient évident que la formation initiale est essentiellement un acte très

227

indépendant et global à l'intérieur de la trame du développement d'un professionnel de l'enseignement. Cette phase initiale développe le personnage principal, l'étudiant-maître, tout en l'orientant vers un processus de socialisation scolaire à travers des expériences de stages. La collation des grades célèbre formellement la clôture du premier acte pour l'étudiant-maître. Cependant, comme dans toute bonne pièce, le premier acte se termine en préparant la trame du second. On nous laisse avec des questions comme celles-ci: L'enseignant, notre personnage principal, obtiendra-t-il un emploi dans l'enseignement? L'emploi reflétera-t-il la préparation universitaire spécifique qu'il a reçue au cours de sa formation initiale? Sera-t-il supervisé au cours de sa première année d'enseignement de la même façon qu'il l'a été lors de sa formation initiale? Quels critères d'évaluation seront utilisés pour déterminer le progrès ou le succès de cet enseignant?

DEUXIÈME ACTE: LA PROBATION

La probation, l'internat, ou la première année d'enseignement font tous référence à la seconde phase de développement d'un professionnel de l'enseignement. Comme dans le drame en trois actes, cette composante de la formation d'un maître devient une partie majeure dans le déroulement de l'action à l'intérieur du drame. Pour vous, acteur central, la trame devient plus complexe. Investi de responsabilités additionnelles dans l'enseignement, votre personnage devient mûr plus rapidement. En fait, au cours de ce second acte, vous assumez maintenant plusieurs responsabilités différentes de «production». En tant qu'enseignant débutant, vous écrivez le scénario des plans de cours, vous devenez le chef de projet des ressources matérielles d'apprentissage, l'agent de relations publiques avec les parents, et, bien sûr, le metteur en scène d'une distribution d'élèves créative, imprévisible et exigeante. De plus, vous êtes constamment évalué par un groupe de critiques – le directeur, le conseiller pédagogique, ou le directeur du service du personnel – qui décident si votre pièce sera présentée pour une seconde saison.

La réalité majeure de la période de probation réside dans ce fait que les attentes scolaires, le support professionnel et l'environnement de travail des nouveaux enseignants varient considérablement selon les pays, les provinces, les districts scolaires et les écoles. Par exemple, les programmes formels de probation des enseignants au Canada sont presque inexistants alors qu'aux États-Unis, au cours des deux dernières années, on est passé de un à douze programmes de probation[3]. En Grande-Bretagne, les programmes de probation furent grandement utilisés au milieu des années soixante-dix, bien qu'il en existe très peu actuellement sous leur forme originale hautement sophistiquée. En me fondant sur ma recherche sur les programmes de probation[4], il me semble qu'il existe quatre scénarios possibles de cette deuxième période de la formation d'un professionnel de l'enseignement. En fait, il existe quatre dénouements différents du deuxième acte de notre pièce.

Le scénario le plus répandu, c'est le *modèle laissez-faire*. Il se caractérise par le fait que les enseignants débutants se voient confier l'entière responsabilité d'une classe mais ne reçoivent qu'un support de supervision minimal et non planifié. Occasionnellement, une relation d'aide peut se développer de façon informelle entre l'enseignant débutant et un membre du personnel enseignant expérimenté ou le directeur d'école, mais ceci représente plutôt l'exception à la règle. Dans ce modèle, les occasions de développement professionnel pour l'enseignant débutant sont rarement offertes, que ce soit au niveau du district scolaire ou d'un programme de probation à l'école. En fait, les besoins spécifiques du débutant sont habituellement relégués aux oubliettes. L'isolement professionnel est presque un rite de passage nécessaire.

Le second scénario, c'est le *modèle d'entraide entre collègues*. Dans ce modèle, on assigne au débutant un *mentor** pour sa

---

*N.d.T.: Mentor est le nom de l'ami d'Ulysse, il était le précepteur de son fils Télémaque.

première année d'enseignement. Le *mentor* est un enseignant expérimenté de l'école qui offre volontairement ses services. Des programmes de supervision de la probation ont été développés au niveau des districts à l'intention des *mentors*, de sorte que des enseignants puissent également avoir l'occasion de devenir des responsables de probation. Au cours de l'année, on offre des sessions de probation réunissant les débutants et leurs *mentors*. Ainsi, les bénéfices qu'on en retire présentent deux facettes: chaque membre de l'équipe reçoit une formation professionnelle, et le débutant ainsi que son *mentor* se voient engagés dans une entreprise de partenariat dans leur école.

Le troisième scénario, c'est le modèle *formel d'internat*. Dans ce scénario, les débutants abandonnent le programme de probation réglementé et défini et s'engagent dans un programme de probation complémentaire formalisé. Comme en médecine, les internes doivent satisfaire aux conditions de certification ou atteindre des objectifs de compétence afin d'obtenir leur titre professionnel. Ainsi, ce modèle se caractérise par des techniques d'évaluation qui peuvent être interreliées ou totalement distinctes des pratiques de supervision formative du personnel scolaire. Le personnel administratif du district ou de la province est habituellement responsable de l'évaluation des nouveaux enseignants. Après avoir complété l'année d'internat avec succès, les débutants n'ont pas besoin d'autres certifications formelles ou de qualifications professionnelles.

Le quatrième scénario, c'est un *modèle professionnel auto-géré*. Dans ce modèle, l'enseignant débutant peut modifier les trois autres scénarios mais, plus important encore, les activités de la première année professionnelle d'enseignement sont considérées comme étant le début d'un programme d'éducation continue. Le débutant, de concert avec un responsable ou un consultant de district, prépare un plan de développement professionnel au cours de sa première année d'enseignement. Le contrat constitue une composante majeure du profil professionnel de l'enseignant. Il est auto-géré, évoque chaque année de la carrière professionnelle de l'enseignant, et est supervisé par le directeur d'école de l'enseignant. Des ateliers en cours d'emploi aident le débutant à élaborer ce plan et à s'assurer que les stratégies auto-analytiques et auto-évaluatrices soient accomplies de manière efficace. L'enseignant peut faire appel à l'expérience et au support de supervision des autres débutants, des enseignants d'expérience, des directeurs ou des conseillers pédagogiques; mais dans ce paradigme de probation, les attentes contractuelles et la mise en oeuvre subséquente du profil de développement professionnel demeurent la responsabilité de l'enseignant.

Comme vous pouvez l'imaginer, le choix de l'un de ces quatre scénarios au cours de l'année de probation influencera définitivement votre évolution à titre de professionnel de l'enseignement. Chaque paradigme fait le portrait du processus de probation de façon différente. L'étendue très diversifiée du degré d'isolement professionnel, du support entre collègues, des techniques d'évaluation ou du contrat auto-évaluateur vont influencer le développement des occasions et des expériences professionnelles.

Ce deuxième acte se termine sur un ensemble de questions: L'enseignant qui termine sa première année d'enseignement entrera-t-il dans la deuxième année de sa profession de façon éclairée et avec une inspiration professionnelle? La deuxième année de sa carrière professionnelle évoluera-t-elle de façon continue en fonction de l'expérience de probation? Et, finalement, les expériences de développement professionnel vécues lors de la probation au cours de la première année d'enseignement ont-elles fourni une base suffisamment significative au nouvel enseignant pour enclencher le processus de socialisation professionnelle des années subséquentes?

TROISIÈME ACTE: FORMATION CONTINUE

Mes remarques au sujet du troisième acte de notre pièce, la formation continue en cours d'emploi, seront brèves. Comme vous le savez, une grande partie de la littérature et de la recherche indique que le troisième acte du modèle de formation des maîtres est une expérience grandement diversifiée et parfois contrariante. Certains programmes de formation continue n'ont jamais inclus plus qu'une présence passive d'enseignants démobilisés, alors que d'autres, à l'opposé, complètent de façon mécanique le processus renouvelable fortement réglementé de la certification. Kenneth Howey propose que la poursuite du changement professionnel par l'intervention d'enseignants experts est cruciale si les enseignants veulent conserver le caractère significatif de leur pratique professionnelle[5]. Que cette transformation du professionnel de l'enseignement renferme la découverte et la compréhension de lui-même, un développement conceptuel et pédagogique continu, ou simplement une meilleure maîtrise de la connaissance de son art, les bénéfices en sont évidents. Néanmoins, je soutiens que c'est l'interrelation des trois actes de ce drame et, en particulier, l'harmonie du développement *séquentiel* de chacun de ces actes qui garantissent ces bénéfices. Je suppose qu'une fin heureuse du troisième acte montrerait que les enseignants sont aussi énergiques et professionnellement curieux qu'ils l'étaient au cours de leurs premières années d'enseignement. Et, bien entendu, chaque élève dans les classes de ces enseignants apprécieraient l'école et la possibilité d'apprendre au maximum. Malheureusement, il arrive trop souvent que les élèves soient les spectateurs vulnérables d'une pièce pauvrement jouée, et d'une faible distribution des rôles principaux.

ÉPILOGUE

En résumant les thèmes essentiels de ce chapitre et de ce livre, je serais porté à suggérer que trois caractéristiques importantes mèneront à une histoire réussie de la pièce en trois actes que constitue le développement professionnel continu de l'enseignant. Ce sont le style de l'enseignant et sa croyance en l'excellence, son esprit d'initiative et son engagement professionnel. Chacun d'entre vous peut définir ces caractéristiques de manière différente, mais j'aimerais présenter mon interprétation du développement professionnel de l'enseignant comme point de départ de votre discussion.

Je crois que la recherche de l'excellence devrait faire partie intégrante de tout notre agir. Chacun d'entre vous développera un style indépendant et un certain ensemble de valeurs qui représenteront sa personnalité professionnelle. Ce style et ces valeurs caractériseront votre façon d'enseigner, le rôle que vous attribuerez au programme dans votre horaire d'enseignement, les priorités que vous établirez pour évaluer vos élèves et les perspectives que vous ouvrirez en articulant votre philosophie de l'éducation. Toutes ces responsabilités dans l'enseignement devraient être soulignées en même temps qu'un besoin urgent de recherche de l'excellence dans le contexte de votre rôle et de vos responsabilités professionnelles.

L'initiative est souvent considérée comme la caractéristique des jeunes enseignants débutants, mais comme John Powell le suggère, les progrès dans l'enseignement et son caractère innovateur peuvent être l'apanage d'enseignants de tout âge, quel que soit le nombre d'années d'expérience[6]. Au moment où vous commencez à jouer avec beaucoup d'entrain votre nouveau rôle de professionnel de l'enseignement, je vous recommande de bien garder en tête que devenir enseignant est un processus continu qui se déroule tout au long des trois actes d'un drame de développement. Au cours de votre première année, vous serez affairé, mais vous voudrez peut-être examiner une nouvelle idée de programme sur un sujet choisi. Vous voudrez peut-être expérimenter différentes stratégies d'enseignement en faisant appel à un enseignant expert ou à un collègue qui accepte de vous apporter un soutien et de vous observer pendant vos cours. Vous voudrez peut-être vous engager davantage avec les spécialistes du développement de programmes dans votre province ou faire partie du comité de développement de programme de votre école. Peu importe votre choix, l'élément critique, c'est que vous fassiez le premier pas. N'oubliez pas que vous possédez la clé de votre avenir professionnel.

En terminant, la transformation intérieure d'un enseignant représente un processus rempli d'interrogations; il est très long. La profession enseignante vue comme un tout est toujours vibrante grâce à l'entrée de nouveaux enseignants énergiques. Les meneurs et ceux qui détiennent les enjeux peuvent jouer un rôle déterminant dans la formation des maîtres en créant la trame des trois actes du développement professionnel de l'enseignant; mais je suis convaincu que la clé du succès est entre vos mains. Si vous êtes déterminé à vous engager dans les activités de développement professionnel, le système répondra. C'est de haute lutte qu'on remporte la palme d'un professionnel reconnu. Comme dans toute pièce ou fil d'une histoire, le personnage principal possède peu de contrôle sur certains événements. Par exemple, certains d'entre vous se sont peut-être demandé à quel niveau ils enseigneront, dans quelle région rurale ou urbaine ils aimeraient travailler et vivre, et quelles chances immédiates ils auraient de trouver un emploi. Il existe tant de facteurs et d'incidents imprévisibles qui peuvent influencer ce que vous enseignerez, quand, et où vous exercerez votre première tâche dans l'enseignement. Néanmoins, une fois que vous aurez réponse à ces questions, vous deviendrez tout de même le chorégraphe de l'apprentissage de vos élèves, de l'établissement et du maintien des standards d'éducation de votre classe et de vos activités de développement professionnel.

Le drame en trois actes de votre carrière ne fait que commencer. Je vous souhaite de devenir le protagoniste central d'une pièce qui vous permettra d'influencer les plans du producteur, du directeur et de l'écrivain de votre histoire.

Le rideau tombe sur cette présentation. Les exercices qui suivent vous invitent à devenir le critique du contenu de votre rendement dans le rôle que vous jouez.

EXERCICES RÉFLEXIFS ET RECHERCHE DE SOLUTIONS

1. Discutez avec votre directeur de séminaire des types de programmes qui existent dans votre province ou votre État pour les enseignants-débutants.
2. En utilisant l'analogie de la pièce en trois actes, décrivez votre expérience en tant que personnage principal du drame au cours du premier acte. Quels sont les facteurs importants du processus de probation lorsque commencera le deuxième acte de la pièce?
3. Trois caractéristiques importantes du développement professionnel des enseignants ont été rapportées dans l'épilogue. Croyez-vous qu'elles sont importantes? Existe-t-il d'autres caractéristiques qui, selon vous, sont plus importantes?
4. Dans quel type de scénario de probation, décrit dans le deuxième acte, aimeriez-vous participer au cours de votre première année dans l'enseignement? Donnez vos raisons.
5. Identifiez les activités auxquelles vous pourriez vous adonner pour vous aider à préparer vos entrevues en vue d'un emploi.

Notes

1. Voir Synge, J. M. (1967). The playboy of the western world. Dans *Classic Irish Drama*. Middlesex: Penguin.
2. Conrad, C. F. (1978). *The undergraduate curriculum: A guide to innovation and reform*. Boulder, Colorado: Westview Press.
3. Ward, B. (1984). The challenge of teacher development in the future. Dans *Beyond the Looking Glass*. Symposium présenté par le Research and Development Center for Teacher Education, University of Texas, Austin.
4. Andrews, I. H. (1986). *Confluence in teacher education*. Dissertation non publiée, Bradford University, England.
5. Howey, K. (1984). An overview of recent research and development on in-service teacher education. Dans *Beyond the Looking Glass*. Symposium présenté par le Research and Development Center for Teacher Education, University of Texas, Austin.
6. Powell, J. (1985). *The teacher's craft: A study of teaching in the primary school*. Edinburgh: Scottish Council for Research in Education.

Références

TOME II

Albrecht, K. (1979). *Stress and the manager: Making it work for you.* Englewood Cliffs: Prentice-Hall.

Andrews, I. H. (1986). *Confluence in teacher education.* Dissertation non publiée, Bradford University, England.

Applegate, Jane H., & Lasley, Thomas J. (1984). What cooperating teachers expect from preservice field experience students. *Teacher Education, 24,* avril, pp. 70-82.

Aubertine, H. E. (1964). An experiment in the set induction process and its application in teaching. *Dissertation Abstracts International, 24,* p. 3987A.

Ausubel, D. P., Novak, J. D., & Hanesian, H. (1978). *Educational psychology: A cognitive view* (2nd ed.). New York: Holt Rinehart and Winston.

Bandy, Helen (1985). Recherche non publiée.

Benson, H. (1975). *The relaxation response.* New York: Morrow.

Berliner, D. (1983). The executive functions of teaching. *Instructor, 93,* 2, pp. 28-40.

Brophy, J. (1982). Classroom management and learning. *American Education,* mars, pp. 519-528.

Butler, Roberta J., & Kantor, Kenneth J. (1979-1980). Evaluating student-teacher interaction in English. *English Education, 11,* p. 34.

Charles, C. M. (1985). *Building classroom discipline: From models to practice.* New York: Longman.

Clark, C. M., Gage, N. L., Peterson, P. L., Stayrook, N. G., & Winne, P. H. (1975). *A factorially designed experiment on teacher structuring, soliciting, and reacting*. Stanford Center for Research and Development in Teaching, Stanford University.

Coates, T., & Thoresen, C. (1976). Teacher anxiety: A review with recommendations. *Review of Educational Research, 46*, pp. 159-184.

Cogan, Morris (1973). *Clinical supervision*. Boston: Houghton Mifflin.

Conrad, C. F. (1978). *The undergraduate curriculum: A guide to innovation and reform*. Boulder, Colorado: Westview Press.

Cooper, K. H. (1970). *The new aerobics*. New York: Bantam.

Cormier, W. H., & Cormier, L. S. (1985). *Interviewing strategies for helpers: Fundamental skills and cognitive-behavioral interventions* (2nd Ed.). Monterey: Brooks/Cole.

Costa, Arthur L. (1984) A response to Hunter's Knowing, teaching, and supervising, dans Philip L. Hosford (Ed.), *Using what we know about teaching*.

Crossan, D., & Olson, D. R. (1971). Cité dans B. Rosenshine, *Teaching behaviours and student achievement*. Londres: National Foundation for Educational Research in England and Wales.

Defino, Maria E. (1983). *The evaluation of student teachers*. Austin, TX: University of Texas Research and Development Center for Teacher Education.

Duchastel, P. C., & Brown, B. R. (1974). Instructional objectives. *Journal of Educational Psychology, 66*, pp. 481-485.

Eisner, Elliot W. (1982). An artistic approach to supervision. Dans Thomas J. Sergiovanni (Ed.), *Supervision of teaching*. Alexandria, VA: Association for Supervision and Curriculum Development.

Eisner, Elliot W. (1985). *The art of educational evaluation: A personal view*. London: Falmer Press.

Evertson, C. M. (1975). *Relationship of teacher praise and criticism to student outcomes*. Austin: The University of Texas.

Ferner, J. D. (1980). *Successful time management: A self-teaching guide*. New York: John Wiley & Sons.

Fisher, C. W., Berliner, D., Filby, N., Marliave, R., Cahen, L., & Dishaw, M. (1980). Teaching behaviours, academic learning time and student achievement: An overview. Dans C. Denham et A. Lieberman (Eds.), *Time to learn*. Washington, DC: National Institute of Education.

Flanders, Tony (1980). The professional development of teachers: A summary report of a study done by the P. D. Division of the B.C.T.F. Dans *BCTF Newsletter, 20,* Special Edition, décembre.

Fuller, F. F. (1969). Concerns of teachers: A developmental conceptualization. *American Educational Research Journal, 6,* 2, pp. 207-226.

Goldhammer, Robert (1969). *Clinical supervision*. New York: Holt, Rinehart and Winston.

Good, T. H., & Brophy, J. E. (1978). *Looking in classrooms* (2nd Ed.). New York: Harper & Row.

Greenberg, J. S. (1984). *Managing stress: A personal guide*. Dubuque: William C. Brown.

Haynes, C. R., Marx, R. W., Martin, J., Wallace, L., Merrick, R., & Einarson, T. (1983). Rationale emotive counselling: Self instruction training for test anxious high school students. *Canadian Counsellor, 18*, pp. 31-38.

Hiebert, B. & Basserman, D. (1986). Coping with job demands and avoiding stress: A gram of prevention. *The Canadian Administrator, 26*, pp. 1-6.

Hiebert, B. (1983). A framework for planning stress control interventions. *Canadian Counsellor, 17,* pp. 51-61.

Hiebert, B. (1983). A framework for planning stress control interventions. *The Canadian Counsellor, 17*, pp. 51-61.

Hiebert, B. (1985). *Stress and teachers: The Canadian scene*. Toronto: Canadian Education Association.

Hiebert, B., & Farber, I. (1984). Teacher stress: A literature survey with a few surprises. *Canadian Journal of Education, 9*, pp. 14-27.

Hogan, Padraig (1983). The central place of prejudice in the supervision of student teachers. *Journal of Education for Teaching, 9*, janvier, p. 38.

Hore, T. (1971). Assessment of teaching practice: An attractive hypothesis (pp. 327-328). *British Journal of Educational Psychology, 41*, pp. 327-328.

House, Ernest R. (1980). *Evaluating with validity.* London: Sage Publications.

Howard, J., Cunningham, D. & Rechnitzer, P. (1978). Rusting out, burning out, bowing out: Stress and survival on the job. New York: MacMillan.

Howey, K. (1984). An overview of recent research and development on in-service teacher education. Dans *Beyond the Looking Glass.* Symposium présenté par le Research and Development Center for Teacher Education, University of Texas, Austin.

Hunter, Madeline (1984). Knowing, teaching, and supervising. Dans Philip L. Hosford (Ed.), *Using what we know about teaching.*

Jersild, Arthur (1955). *When teachers face themselves.* New York: Teachers College Press.

Johnson, James A. (1968). *A national survey of student teaching programs, final report.* DeKalb, IL: Northern Illinois University.

Johnston, Janet M. (1984). A comparison of intern teacher growth at three points during a sixteen week internship. Saskatoon: University of Saskatchewan. Manuscrit non publié.

Kanfer, F. H. & Goldstein, A. P. (1986). *Helping people change: A textbook of methods* (3rd Ed.). New York: Pergamon.

Kasl, S. V. (1984). Stress and health. Dans Breslow, L., Fielding, J. E., & Lave, L. B. (Eds.). *Annual review of public health, 5.* Palo Alto: Annual Reviews Inc.

Katz, L. (1972). Developmental stages of preschool teachers. *Elementary School Journal, 73*, p. 50.

Lakein, A. (1973). *How to get control of your time and your life.* New York: Signet.

Lazarus, R.R. (1974). Cognitive and coping process in emotion. Dans B. Weiner (Ed.), *Cognitive views of human motivation*. New York: Academic.

Luft, J. (1969). *Of human interaction*. Palo Alto: National Press Books.

Martin, J. (1983). *Mastering instruction*. Boston: Allyn & Bacon.

Martin, J., & Martin, W. (1983). *Personal development: Self-instruction for personal agency*. Calgary: Detselig.

Mason, L. J. (1980). *Guide to stress reduction*. Culver City: Peace Press.

Mason, L. J. (1980). *Guide to stress reduction*. Culver City: Peace Press.

Mason, L. J. (1980). *Guide to stress reduction*. Culver City: Peace Press.

McKenna, Bernard H. (1981). Context/environment effects in teacher evaluation. Dans Jason Millman (Ed.), *Handbook of teacher evaluation*. London: Sage Publications.

Meichenbaum, D. (1975). A self-instructional approach to stress management: A proposal for stress inoculation training. Dans Speilberger, C. D., & Sarason, I. G. (Eds.), *Stress and anxiety*. New York: Wiley.

Merrick, R. (1984). Instructional counselling manual for the reduction of test anxiety in secondary school students. *IPRG Development Report No. 85-2,* S.F.U., Burnaby, B. C.

Merrill, P. F. (1974). Effects of the availability of objectives and rules on the learning process. *Journal of Educational Psychology, 66,* pp. 534-539.

Novak, J. D. (1981). Effective science instruction: The achievement of shared meaning. *The Australian Science Teachers Journal, 27,* 1, pp. 5-13.

Novak, J., *et al.* (1983). The use of concept mapping and knowledge mapping with junior high science students. *Science Education, 67,* 5, pp. 625-645.

Pines, A. L., & Leith, S. (1981). What is concept learning in science? Theory, recent research and some teaching suggestions. *The Australian Teachers Journal, 27,* 3, pp. 15-20.

Powell, J. (1985). *The teacher's craft: A study of teaching in the primary school.* Edinburgh: Scottish Council for Research in Education.

Reiff, Judith C. (1980). Evaluating student teacher effectiveness. *College Student Journal, 14,* pp. 369-372.

Schalock, Del. (1979). Research on teacher selection. *Review of Research in Education, 7,* pp. 391-394.

Schmuck, R.A., et Schmuck, P.A. (1983). *Group processes in the classroom.* 4ᵉ édition. Dubuque: Wm. C. Brown.

Schon, Donald A. (1983). *The Reflective Practitioner.* New York: Basic Books.

Scriven, Michael (1981). Summative teacher evaluation. Dans Jason Millman (Ed.), *Handbook of teacher evaluation.* London: Sage Publications.

Shapiro, Phyllis. (1971). The evaluation of student teachers. *Teacher Education, 11,* octobre, pp. 40-48.

Sheehy, Gail (1974). *Passages, predictable crises of adult life.* New York: Bantam Books.

Simon Anita, & Boyer, E. Gil. (1967). *Mirrors for behavior: An anthology of classroom observation instruments.* Philadelphia: Center for the Study of Teaching, Temple University.

Stallings, J. (1985). A study of implementation of Madeline Hunter's model and its effects on students. *Journal of Educational Research, 78,* pp. 325-337.

Stanford, G. (1977). *Developing effective classroom groups: a practical guide for teachers.* New York: Harper & Row.

Stewart, J., Van Kirk, J., & Rowell, R. (1979). Concept maps: A tool for use in biology teaching. *The American Biology Teacher, 40,* 3, pp. 171-175.

Synge, J. M. (1967). The playboy of the western world. Dans *Classic Irish Drama.* Middlesex: Penguin.

Tikunoff, W. J., Berliner, D. C., & Rist, R. C. (1975). An ethnographic study of the forty classrooms of the beginning teacher evaluation study known sample. *Beginning teacher evaluation study (Technical Report 75-10-5)*. San Francisco: Far West Laboratory.

Travers, Robert M.W. (1981). Criteria of good teaching. Dans Jason Millman (Ed.), *Handbook of teacher evaluation*. London: Sage Publications.

Unks, Gerald (1985-86). Product oriented teaching: A reappraisal. *Education and Urban Society, 18*, pp. 242-254.

Veenman, Simon (1984). Perceived problems of beginning teachers. *Review of Educational Research, 54,* 2, Été, pp. 143-178.

Walker, Richard T. (1981). Myths in student teacher evaluation. *English Education, 13*, pp. 10-11.

Wallace, L. (1984). The development of a self-instructional training manual for the treatment of test anxiety in high school students. *IPRG Development Report No. 85-1*. Burnaby, B. C.: Simon Fraser University, Instructional Psychological Research Group.

Wallace, L. (1984). The development of self instructional training manual for the treatment of test anxiety in high school students. *IPRG Development Report No. 85-1*.

Ward, B. (1984). The challenge of teacher development in the future. Dans *Beyond the looking glass*. Symposium présenté par le Research and Development Center for Teacher Education, University of Texas, Austin.

Zahorik, F. I. (1970). The effect of planning on teaching. *Elementary School Journal, 71*, 3, décembre.

Zahorik, J. A., & Brubaker, D. L. (1972). *Toward more humanistic instruction*. Dubuque, Ia: William C. Brown.

CHEZ LE MÊME ÉDITEUR

**La collection « Théories et pratiques dans l'enseignement »
est dirigée par Gilles Fortier et Clémence Préfontaine.**

La collection regroupe des ouvrages qui proposent des analyses sur des aspects
théoriques et pratiques de l'enseignement, sans restrictions quant à la matière
enseignée. La collection veut refléter la réalité scolaire et ses aspects didactiques; on y
retrouvera également des ouvrages traitant de la formation des maîtres.

Ouvrages parus dans la collection:

LA FORMATION DU JUGEMENT
collectif sous la direction de Michel Schleifer

ORDINATEUR, ENSEIGNEMENT ET APPRENTISSAGE
collectif sous la direction de Gilles Fortier

LES FABLES INFORMATIQUES
par Francis Meynard

PÉDAGOGIE DU JEU
par Nicole De Grandmont

LA FORMATION FONDAMENTALE
Actes du XIe colloque interdisciplinaire de la
Société de philosophie du Québec
collectif sous la direction de Christiane Gohier

LE ROMAN D'AMOUR À L'ÉCOLE
par Clémence Préfontaine

LE JEU LUDIQUE
par Nicole De Grandmont

LECTURES PLURIELLES
collectif sous la direction de Norma Lopez-Therrien

POUR UN ENSEIGNEMENT STRATÉGIQUE
par Jacques Tardif

LA LECTURE ET L'ÉCRITURE
collectif sous la direction de Clémence Préfontaine et Monique Lebrun

SOLITUDE DES AUTRES
collectif sous la direction de Norma Lopez-Therrien

LES ÉDITIONS LOGIQUES

ORDINATEURS

VIVRE DU LOGICIEL, par L.-Ph. Hébert, Y. Leclerc
    et Me M. Racicot

L'informatique simplifiée
dBASE IV SIMPLIFIÉ, par Rémi Andriot
L'ÉCRIVAIN PUBLIC SIMPLIFIÉ (IBM), par Céline Ménard
L'ORDINATEUR SIMPLIFIÉ, par Sylvie Roy
    et Jean-François Guédon
LES EXERCICES WORDPERFECT 5.1 SIMPLES &
    RAPIDES, par Marie-Claude LeBlanc
LOTUS 1-2-3 SIMPLE & RAPIDE (version 2.4),
    par Marie-Claude LeBlanc
MACINTOSH SIMPLIFIÉ, par Emmanuelle Clément
MS-DOS 3.3 ET 4.01 SIMPLIFIÉ, par Sylvie Roy
MS-DOS 5 SIMPLIFIÉ, par Sylvie Roy
PAGEMAKER 4 SIMPLIFIÉ (MAC), par Bernard Duhamel et
    Pascal Froissart
PAGEMAKER IBM SIMPLIFIÉ, par Hélène Adant
PAGEMAKER MAC SIMPLIFIÉ, par Hélène Adant
WINDOWS 3.1 SIMPLIFIÉ, par Jacques Saint-Pierre
WORD 4 SIMPLIFIÉ (MAC), par Line Trudel
WORD 5 SIMPLE & RAPIDE (IBM),
    par Marie-Claude LeBlanc
WORDPERFECT 4.2 SIMPLE & RAPIDE,
    par Marie-Claude LeBlanc
WORDPERFECT 5.0 SIMPLE & RAPIDE,
    par Marie-Claude LeBlanc
WORDPERFECT 5.1 AVANCÉ EN FRANÇAIS,
    par Patrick et Didier Mendes
WORDPERFECT 5.1 SIMPLE & RAPIDE,
    par Marie-Claude LeBlanc

WORDPERFECT 5.1 SIMPLIFIÉ EN FRANÇAIS,
   par Patrick et Didier Mendes
WORDPERFECT POUR WINDOWS SIMPLIFIÉ,
   par Patrick et Didier Mendes

Les Incontournables
WORDPERFECT 5.1, par Patrick et Didier Mendes
MS-DOS 5, par Sylvie Roy
WINDOWS 3.1, par Jacques Saint-Pierre

Notes de cours
Cours 1 WORDPERFECT POUR WINDOWS - Les fonctions de base
Cours 2 WORDPERFECT POUR WINDOWS - Les fonctions intermédiaires

ÉCOLES
*APPRENDRE LA COMPTABILITÉ AVEC BEDFORD
   (Tome 1)*, par Huguette Brodeur
*APPRENDRE LA COMPTABILITÉ AVEC BEDFORD
   (Tome 2)*, par Huguette Brodeur
*APPRENDRE LA DACTYLOGRAPHIE AVEC
   WORDPERFECT*, par Yolande Thériault
*APPRENDRE LE TRAITEMENT DE TEXTE AVEC
   L'ÉCRIVAIN PUBLIC*, par Yolande Thériault
*APPRENDRE LE TRAITEMENT DE TEXTE AVEC
   WORDPERFECT*, par Yolande Thériault
HARMONIE-JAZZ, par Richard Ferland

Théories et pratiques dans l'enseignement
LA FORMATION FONDAMENTALE, sous la direction de
   Christiane Gohier
LE JEU LUDIQUE, par Nicole De Grandmont
LA LECTURE ET L'ÉCRITURE, sous la direction
   de C. Préfontaine et M. Lebrun

PLAISIRS